MÁS CLÁSICOS ILUSTRADOS PARA NIÑOS

LOS TRES MOSQUETEROS ◉ PINOCHO
ROBIN HOOD ◉ LOS VIAJES DE GULLIVER

Editora: Joanna McInerney • Diseñadora: Chloë Forbes • Traducción: Ana Galán

Copyright © QEB Publishing 2015

Publicado en los Estados Unidos por
QEB Publishing, Inc.
6 Orchard
Lake Forest, CA 92630

www.qed-publishing.co.uk

Información disponible sobre el registro CIP de la Biblioteca del Congreso.

ISBN 978 1 60992 905 3

Impreso en China

MÁS CLÁSICOS ILUSTRADOS PARA NIÑOS

LOS TRES MOSQUETEROS ◦ PINOCHO
ROBIN HOOD ◦ LOS VIAJES DE GULLIVER

Adaptación de Ronne Randall y Saviour Pirotta

Contenido

LOS TRES MOSQUETEROS

Era el mes de abril de 1625, y un joven de dieciocho años llamado D'Artagnan se dirigía a París a lomos de su caballo de pelaje amarillo. Llevaba una boina polvorienta adornada con una pluma y las pocas monedas que sus padres le habían podido dar. Pero también tenía algo muy valioso: una carta de presentación de un viejo amigo de su padre, el señor de Tréville, capitán de los mosqueteros del Rey. Con ella, D'Artagnan esperaba conseguir su único y ardiente deseo: convertirse en mosquetero.

Cerca de Orleáns, frente a la hostería de Franc Meunier, un caballero con una cicatriz profunda en la cara llamó a D'Artagnan.

—¿Eso que montas es un caballo o un botón de oro? —gritó y se rió de su propia broma. Los hombres con los que estaba bebiendo también se rieron.

Sin embargo, a D'Artagnan no le hizo ninguna gracia. Enojado y con el orgullo herido, se bajó de su caballo, desenvainó la espada y retó al hombre a una pelea.

—No seas tonto —dijo el hombre con tono de burla—. No pienso pelearme con un campesino pobre como tú—. Se dio media vuelta y se alejó.

—¡Cobarde! —gritó D'Artagnan, corriendo detrás de él—. ¡Esta me la pagarás! ¡No permitiré que me insultes, a mí ni a mi caballo! ¡Vuelve y pelea como un hombre!

De pronto, D'Artagnan recibió un gran golpe en la nuca y cayó al suelo. Uno de los sirvientes de la posada le había golpeado para evitar la pelea y lo dejó inconsciente.

Cuando D'Artagnan recuperó el conocimiento, estaba en el cuarto trasero de la hostería. Llevaba un vendaje en la cabeza y le dolía todo el cuerpo. Con un quejido de dolor, salió a la calle.

Cerca de allí vio a una mujer hermosa en un carruaje. Al lado del carruaje estaba el hombre de la cicatriz hablando con ella. D'Artagnan salió disparado hacia el hombre para vengarse. Al acercarse, pudo oír su conversación.

—Milady de Winter —decía el hombre—, debe regresar cuanto antes a Inglaterra.

—¿Y tú qué harás? —preguntó la dama.

—Regresaré a París—. Y con eso, el hombre se subió a su caballo y salió galopando.

—¡Cobarde, farsante! —gritó D'Artagnan persiguiéndole. Pero era demasiado tarde. Ya se había ido.

D'Artagnan entró cojeando en la hostería y decidió pasar la noche ahí para recuperarse de los golpes. Al día siguiente, cuando sacó la cartera para pagar la comida y la estancia, descubrió que ya no tenía la carta que debía entregarle al señor de Tréville. Le preguntó al hostelero si sabía dónde podía estar.

—No la he visto —contestó el hostelero—, pero ese desconocido que estuvo aquí anoche, el de la cicatriz, rebuscó en tus cosas mientras estabas inconsciente. Se la ha debido llevar. ¿Tenía mucho valor?

—Solo para mí —dijo D'Artagnan—. ¡Encontraré a ese canalla y le haré pagar por lo que hizo!

La mansión del señor de Tréville

D'Artagnan llegó a París y no tardó en encontrar la mansión del señor de Tréville. Dentro vio a un grupo de jóvenes bromeando y practicando con sus espadas.

Un sirviente le dijo a D'Artagnan que subiera a la sala para esperar al señor de Tréville. Allí había tres mosqueteros que hablaban muy fuerte entre ellos.

—Athos, no te vas a creer lo que oí —dijo uno.

—¿Qué, Porthos? —preguntó el más joven de los tres.

—¡Alguien descubrió a Rochefort, uno de los espías del cardenal, disfrazado de monje! ¿Verdad, Aramis? —le preguntó al tercer mosquetero.

—Así es —contestó este—. Seguro que no consiguió engañar a nadie. Como ese Rochefort se cruce en mi camino, se arrepentirá.

D'Artagnan observaba con admiración sus túnicas y capas coloridas. Se preguntó de quién estarían hablando. Sus pensamientos fueron interrumpidos por el mismísimo señor de Tréville que entró en la sala y, con un gesto de la mano, les pidió a los mosqueteros que se acercaran.

—Tengo entendido que han estando retando a los guardias del Rey —dijo el señor de Tréville—. ¡Saben que eso va contra de la ley!

—Sí, señor —dijo Porthos—, pero los guardias nos atacaron.

—Eso no lo sabía —dijo el señor de Tréville—. Si solo se estaban defendiendo, hicieron lo correcto. Pero procuren no meterse en más problemas.

—Sí, señor —dijeron los tres a la vez.

Después, el señor de Tréville le pidió a D'Artagnan que se acercara. D'Artagnan le dijo su nombre y de dónde venía, y le explicó lo que había pasado con su carta de presentación.

—Conozco bien a tu padre —dijo Tréville—. ¿Dices que te robaron la carta que me había escrito?

—Sí —dijo D'Artagnan—, un hombre alto con una cicatriz en la cara.

—Hmmm… —dijo Tréville, frotándose la barbilla pensativo—. ¿Dónde viste a ese hombre por última vez?

—En la hostería de Franc Meunier, cerca de Orleáns, señor —contestó D'Artagnan—. Estaba hablando con una dama y le dijo que debía regresar a Inglaterra.

—Hmmm… —volvió a decir Tréville—. Creo que sé quién es.

—Señor, dígame dónde está —dijo D'Artagnan ansioso—. ¡No permitiré que vuelva a escaparse!

—Mantente alejado de él —dijo Tréville—. Tiene mucho poder y no vas a ganar nada enfrentándote a él. Si quieres ser mosquetero, debes aprender a identificar a tus enemigos.

—Si quiero ser… —dijo D'Artagnan, sin apenas creer lo que estaba oyendo.

—Siento un gran respeto por tu padre —dijo Tréville— y por eso, te enviaré a la Academia Real para que te entrenes. Podrás ser mosquetero, pero antes debes probar tu valía.

—Lo haré, señor —dijo D'Artagnan agradecido—. No se arrepentirá de su decisión.

Athos, Porthos y Aramis

Cuando el señor de Tréville se sentó para escribir la carta de presentación de D'Artagnan para el director de la Academia, D'Artagnan se asomó a la ventana. En la calle vio un hombre que le resultaba familiar.

—¡Es él! —gritó.

—¿Quién? —preguntó Tréville, levantando la mirada.

—¡El hombre que vi en Franc Meunier! ¡Esta vez no escapará! —espetó D'Artagnan y salió de la sala. El señor de Tréville movió la cabeza en señal de desaprobación.

D'Artagnan bajó las escaleras a toda velocidad, se chocó con un mosquetero y lo empujó hacia la pared. El mosquetero pegó un grito de dolor y sorpresa.

—Perdón —murmuró D'Artagnan mientras pasaba a su lado, apartándolo. Pero no llegó muy lejos. El mosquetero le agarró del brazo.

—¡Veo que tienes mucha prisa! —dijo enojado.

D'Artagnan vio que era el mosquetero Athos. —Lo siento mucho, señor —contestó—. No quería lastimarlo ni ser grosero. Pero sí, tengo mucha prisa. Tengo que enfrentarme a alguien.

—Lo sientas o no, ¡has sido muy grosero! —dijo Athos—. Y para enfrentarte conmigo, no vas a tener que empujar a nadie más. Te reto a un duelo, mañana al mediodía, en el viejo convento.

—Reto aceptado —dijo D'Artagnan—. ¡Allí estaré, a las doce menos diez!—. Y se fue corriendo.

D'Artagnan salió a la calle, pero se tropezó con Porthos que estaba hablando con un soldado.

—¿A ti qué te pasa? —preguntó Porthos.

—Lo siento —dijo D'Artagnan—. Tengo mucha prisa.

—Esa no es manera de tratar a un mosquetero —dijo Porthos—. ¡Te reto a un duelo, mañana a la una, en el viejo convento!

D'Artagnan asintió rápidamente y siguió corriendo, pero había perdido al ladrón. Cuando regresó, estaba avergonzado. Se había portado como un tonto delante del señor de Tréville y de dos mosqueteros a los que admiraba.

De pronto, vio la oportunidad de mejorar la situación. Justo delante de él estaba Aramis hablando con tres guardias. Se le había caído un pañuelo y D'Artagnan se acercó a recogerlo.

—Creo que esto es suyo —dijo D'Artagnan haciendo una reverencia. Aramis lo agarró enojado y en ese momento, D'Artagnan se dio cuenta de que era un pañuelo de mujer.

—Ah —se rió uno de los guardias—. Veo que la señora de Bois te ha dejado su pañuelo, Aramis. ¿Todavía insistes en que no hay nada entre ustedes dos?

Aramis, con la cara roja de furia, se giró a D'Artagnan.

—¿Cómo te atreves a meterte en mis asuntos personales? —gruñó—. ¡Te reto a un duelo: mañana a las dos, en el viejo convento!

Los mosqueteros y los guardias del cardenal

Al día siguiente, cuando D'Artagnan fue al viejo convento, esperaba que no notaran lo nervioso que estaba. Iba a enfrentarse no a uno, sino a tres de los mejores mosqueteros de París o incluso de toda Francia.

D'Artagnan se preguntó si debía pedir que lo perdonaran, pero sabía que rogar no era una muestra de honor.

Athos le estaba esperando. —¿Vienes solo? —le preguntó—. ¿No has traído a un segundo?—. Un segundo era alguien que representaba a un caballero en un duelo para asegurarse de que la pelea fuera justa.

—No conozco a nadie en París —dijo D'Artagnan—, pero me puedo representar a mí mismo.

—No me gusta matar a un hombre sin amigos —dijo Athos—. Yo les pedí a dos amigos que vinieran de segundos, pero parece que llegan tarde.

En ese momento aparecieron Porthos y Aramis.

—¡Llegan tarde! —dijo Athos.

—¡Llegan pronto! —dijo D'Artagnan al mismo tiempo.

—¿Qué? —dijeron todos.

Pronto se aclaró la situación y D'Artagnan y Athos se prepararon para el primer duelo.

Sus espadas apenas habían chocado cuando los rodeó un grupo de guardias del cardenal.

—¡Bajen las espadas! —gritó el líder, un hombre llamado Jussac—. Saben perfectamente que los duelos en público son ilegales. Por lo tanto, voy a arrestarlos a los cuatro, a no ser que quieran pelear con nosotros, por supuesto.

Los tres mosqueteros sabían que el señor de Tréville nunca los perdonaría si los arrestaban.

—Son cinco y nosotros solo somos tres —susurró Athos—, pero no nos queda otra opción, debemos luchar.

—Perdonen —dijo D'Artagnan—. Somos cuatro.

—Tú no eres mosquetero —dijo Porthos.

—Puede que no —contestó D'Artagnan—, pero tengo el corazón y el alma de un mosquetero. ¡No los abandonaré!

—Entonces, ¡al ataque, señores! —gritó Athos.

En el patio retumbaba el sonido del acero mientras chocaban las espadas. D'Artagnan, emocionado por estar luchando con los mosqueteros del Rey, se movía a gran velocidad y con la furia de un tigre. Los guardias no sabían por dónde les iban a atacar. La espada de Aramis atravesó a uno de sus oponentes. Athos y Porthos recibieron estocadas, Porthos en el brazo y Athos en el hombro, pero eso hizo que lucharan con más tesón todavía.

Finalmente Jussac puso fin a la pelea. D'Artagnan le había herido y además había perdido un hombre; no quería perder a nadie más. Él y los guardias que quedaban se dieron por vencidos y salieron del patio.

Los tres mosqueteros rodearon a su nuevo amigo y le preguntaron cómo se llamaba.

—D'Artagnan —contestó— y aunque de momento no sea mosquetero, seré su amigo y compañero leal. ¡Uno para todos y todos para uno!

—¡Uno para todos y todos para uno! —respondieron los tres mosqueteros y los cuatro hombres levantaron sus espadas en un saludo.

Su Majestad, el Rey Luis XIII

El señor de Tréville pensaba que debía reprender a los mosqueteros por pelear después de haberles pedido que no lo hicieran. Sin embargo, en privado, les felicitó y les dijo que estaba orgulloso de su valentía. Sabía que los guardias del cardenal los habían provocado. Estaba especialmente orgulloso del joven D'Artagnan for su lealtad a sus nuevos camaradas.

Tréville se aseguró de que el Rey, Luis XIII, supiera exactamente lo que había pasado. El Rey estaba tan impresionado que le pidió a Tréville que llevara a los cuatro hombres al palacio para conocerlos. Cuando llegaron, al Rey le sorprendió lo joven que era D'Artagnan.

—Señor de Tréville —dijo—, usted me había dicho que era joven, ¡pero no es más que un niño! ¿Y tú fuiste el que hirió tan gravemente a Jussac? —le preguntó a D'Artagnan.

—Sí, Su Majestad —contestó orgulloso D'Artagnan.

—Tanto valor merece una recompensa —dijo el Rey—. Todavía no estás listo para ser mosquetero, pero espero que trabajes duro durante tu entrenamiento. Tu honradez será una gran aportación a la Academia.

También le entregó a D'Artagnan cuarenta monedas de oro. En cuanto salieron del palacio, D'Artagnan compartió el dinero con Athos, Porthos y Aramis.

—Al fin y al cabo —dijo—, no fui el único que luchó valientemente ese día.

Los tres mosqueteros y D'Artagnan se hicieron amigos inseparables. Los mosqueteros le enseñaron a D'Artagnan la vida en París, y le explicaron los entresijos de la corte del Rey Luis y su esposa, la reina Anne. D'Artagnan deseaba más que nunca ser mosquetero.

Una tarde, el casero de D'Artagnan, el señor Bonacieux, llamó a su puerta. Estaba preocupado y le dijo a D'Artagnan que alguien había raptado a su esposa, Constance. Unos vecinos habían visto a un hombre con una cicatriz en la cara metiéndola en un carruaje.

Al oír la palabra "cicatriz" D'Artagnan prestó más atención. ¡Seguro que era el hombre que había estado buscando desde que llegó a París!

—Estoy muy preocupado —dijo Bonacieux—. Constance es la modista de la reina Anne y sabe muchos secretos de ella. A lo mejor tú y tus amigos mosqueteros pueden ayudarme a rescatarla.

Por lo que le habían contado los mosqueteros, D'Artagnan sabía que los secretos de la Reina tenían que ver con su matrimonio con el Rey, que nunca había sido feliz. Ella en realidad amaba al duque de Buckingham, y el duque estaba enamorado de ella. D'Artagnan también sabía que el cardenal era enemigo de la Reina y haría cualquier cosa para meterla en problemas con el Rey. El hombre de la cicatriz era uno de los cómplices del cardenal.

—Haré todo lo que pueda para encontrar a su esposa —le prometió D'Artagnan al casero—. Mis amigos mosqueteros llegarán pronto. También puede contar con su ayuda.

El duque de Buckingham

Cuando llegaron los mosqueteros, los guardias del cardenal ya habían arrestado a Bonacieux. D'Artagnan les contó a sus amigos lo que había pasado.

Acordaron que D'Artagnan se quedaría a vigilar la casa y que Athos visitaría al señor de Tréville para ver si sabía algo. Porthos y Aramis decidieron salir a investigar por su cuenta para intentar conseguir información.

Esa noche, D'Artagnan observó atentamente todo lo que pasaba debajo de su ventana. Como ya era tarde y no había visto nada, decidió meterse en la cama, pero de pronto escuchó a alguien que llamaba a la puerta del piso de abajo y después oyó una pelea.

Agarró la espada, bajó las escaleras y entró en el apartamento. El hombre de la cicatriz y tres hombres más intentaban amarrar a una joven muy bella y asustada. Al ver a D'Artagnan con la espada en alto, salieron huyendo.

La mujer era Constance Bonacieux. Había conseguido huir de sus raptores pero estos la habían seguido hasta su casa.

Constance le dio las gracias a D'Artagnan por rescatarla. D'Artagnan le contó que habían arrestado a su esposo.

Constance estaba muy preocupada.

—Pensé que él iba a protegerme —dijo—. Me han encargado algo muy peligroso y debo hacerlo esta misma noche. ¿Me podrías ayudar tú?

Al mirar los intensos ojos azules de Constance Bonacieux, D'Artagnan sabía que haría cualquier cosa que le pidiera.

Constance corrió por las calles oscuras y D'Artagnan la siguió de cerca. En el río, cerca de la base del puente, apareció un hombre entre las sombras y la saludó.

—Es el duque de Buckingham —explicó Constance—. Ha venido de Inglaterra para ver a la reina Anne.

—Si vienes con nosotros y nos proteges —le dijo el duque a D'Artagnan—, te estaremos muy agradecidos.

D'Artagnan los siguió hasta el palacio, donde Constance los llevó por una serie de pasadizos secretos que llevaban a los aposentos privados de la Reina.

Cuando llegó la Reina, sus ojos brillaban como esmeraldas, pero en su cara pálida se veía la preocupación.

—Es demasiado arriesgado que estés aquí —le dijo al duque.

—Arriesgaría cualquier cosa por verte —le contestó—. Sabes lo mucho que te quiero.

—Por favor, regresa a Inglaterra hasta que pueda encontrar la manera de que regreses sin poner tu vida en peligro —le rogó la Reina.

—Lo haré —prometió el duque—, pero solo si me das algo tuyo que me ayude a recordar este encuentro y saber que no ha sido un sueño.

La Reina le susurró algo a uno de sus sirvientes y este fue a buscar una caja de madera de palisandro.

—Aquí tienes —dijo la Reina—. ¡Toma esto y vete!

El duque la besó en la mano y se fue con la caja. Después se reunió con Constance y D'Artagnan en un pasadizo y los tres salieron del palacio.

Nadie sabía que una de las doncellas de la Reina era una espía que informó rápidamente al cardenal de todo lo que había visto y oído. También le dijo que en la caja había doce diamantes que el Rey le había regalado a la reina Anne.

El cardenal inmediatamente ideó un plan para revelar el secreto de la Reina y que el Rey se enterara.

Le escribió una carta a la condesa de Winter, que estaba en Londres, y le pidió que asistiera a un baile donde vería al duque de Buckingham. Le explicó que el duque llevaba los diamantes escondidos debajo de su túnica y que ella debía quitarle dos de ellos y enviárselos. Después convenció al Rey Luis de que organizara un baile en honor a la Reina.

—¡Es una idea excelente! —dijo el Rey—. Podrá ponerse los diamantes que le regalé—. Eso era justo lo que el cardenal quería oír.

Cuando el Rey le contó a su esposa que iba a organizar un baile y le pidió que se pusiera los diamantes, la Reina se puso muy nerviosa.

—¿Qué debo hacer? —le preguntó la Reina llorando a Constance.

—Escriba al duque y pídale que le devuelva los diamantes —dijo Constance—. Puede confiar en mi amigo D'Artagnan y pedirle que vaya a Londres para darle la carta.

D'Artagnan, por supuesto, accedió inmediatamente a ayudar a la bella Constance. Ella, muy agradecida, le dijo que la Reina le recompensaría generosamente.

—La única recompensa que necesito es saber que te estoy ayudando, a ti y a la Reina —dijo D'Artagnan.

D'Artagnan fue a ver al señor de Tréville para explicarle la situación.

—Debo ir a Londres durante un breve tiempo —dijo—. Me han encargado un asunto secreto para la Reina. Su honor, y quizás su vida, pueden estar en peligro.

El señor de Tréville le observó seriamente.

—No te pediré que reveles el secreto —dijo—. Guárdalo con tu vida, pero una misión de este calibre es peligrosa y no puedo permitir que vayas solo. Athos, Porthos y Aramis te acompañarán.

D'Artagnan estaba dispuesto a ir solo, pero le tranquilizó y le alegró saber que sus amigos irían con él.

—Muchas gracias por su ayuda, señor —dijo, mientras el señor de Tréville escribía unos mensajes que D'Artagnan debía entregar a los mosqueteros.

D'Artagnan pensaba que su misión era un secreto, pero había alguien más que sabía lo que estaba pasando.

Al señor de Bonacieux, el esposo de Constance, le habían dejado salir de prisión con la condición de que fuera un espía del cardenal.

Por su puesto, nadie conocía ese trato, ni siquiera su esposa. Constance pensaba que podía confiar en él y le había contado que su inquilino, D'Artagnan, iba a llevar una carta a Londres para la Reina.

Bonacieux se lo dijo inmediatamente al cardenal y pronto idearon planes para detener a D'Artagnan.

El viaje

D'Artagnan y los mosqueteros salieron hacia París en mitad de la noche, protegidos por la oscuridad. Las carreteras que salían de la ciudad estaban vacías y silenciosas, pero sabían muy bien que era un viaje muy peligroso y que los espías del cardenal les podían tender una emboscada en cualquier momento. Sin embargo, continuaron sin problemas hasta el amanecer y se sintieron más animados.

A las ocho de la mañana ya habían llegado a la ciudad de Chantilly y decidieron hacer una parada para desayunar y dejar descansar a sus caballos.

Encontraron una pequeña taberna y un sirviente se encargó de dar de comer y beber a los caballos.

—No les quites las sillas —dijo Porthos—. Tenemos que estar listos para salir rápidamente.

En el comedor de la taberna había un hombre, y conversaron amigablemente con él sobre el tiempo y el estado de las carreteras. Entonces, cuando se disponían a continuar su camino, el hombre agarró a Porthos y le propuso un brindis por la salud del cardenal.

—Brindaré con gusto por la salud del cardenal —dijo Porthos—, si usted brinda por la salud del Rey.

El hombre se negó, desenvainó su espada y retó a Porthos a un duelo.

—No hagas tonterías —susurró Athos—. Acaba rápidamente con él, que tenemos que irnos.

—Me demorará el tiempo que sea necesario —contestó Porthos, desenvainando su espada—. Sigan sin mí. ¡Los alcanzaré en cuanto termine!

34

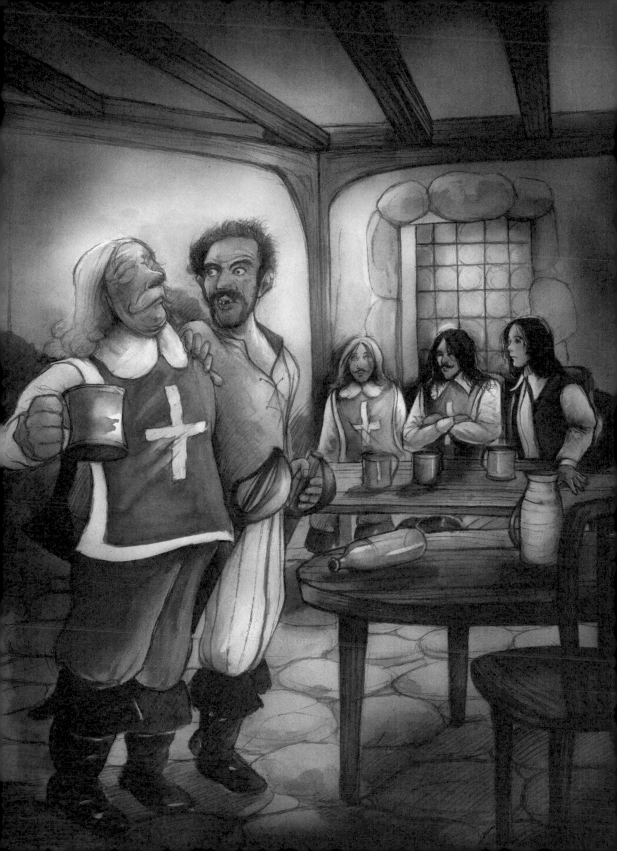

D'Artagnan, Aramis y Athos se pusieron en camino, convencidos de que Porthos ganaría el duelo y se reuniría pronto con ellos. Pero cuando llegaron a la ciudad de Beauvais, no habían vuelto a oír de él.

—Vamos a esperar un momento —sugirió Athos—. Seguro que Porthos no andará muy lejos.

Esperaron dos horas, pero Porthos no apareció y siguió sin dar señales de vida. Así que decidieron seguir su viaje.

En las afueras de la ciudad, vieron unos hombres cavando un hoyo y bloqueando el camino. Aramis se impacientó y se enojó tanto que empezó a gritar a los trabajadores. Athos intentó calmarlo, pero era demasiado tarde: los hombres empezaron a tirarles piedras. Mientras intentaban esquivar las piedras, uno de los trabajadores se metió en una trinchera y sacó un mosquete.

—¡Es una emboscada! —gritó D'Artagnan—. ¡Salgamos de aquí!

Arrearon a sus caballos y salieron a galope tendido. Pero habían disparado a Aramis y tenía una herida grave en el hombro. Cada vez estaba más pálido y débil.

Al cabo de dos horas, Aramis dijo que no podía continuar y les rogó a sus amigos que le dejaran en la próxima posada.

—No se preocupen por mí. Me quedaré a esperar a Porthos —les dijo.

D'Artagnan y Athos no tenían otra opción. Una vez que comprobaron que Aramis estaba bien, se montaron en sus caballos y continuaron el viaje.

El duque y los diamantes

Athos y D'Artagnan se dirigieron a la costa. Cambiaron de ruta varias veces por si alguien les estaba siguiendo. Estaban convencidos de que todo lo que les había pasado no era por casualidad. El cardenal había enviado a sus hombres para que los siguieran.

Esa misma noche, llegaron a Amiens y fueron a una posada para pasar la noche.

El posadero los recibió en la puerta y les mostró sus habitaciones de mala gana. Una vez dentro, Athos y D'Artagnan trancaron la puerta y durmieron por turnos para que siempre permaneciera uno de ellos en alerta.

Por la mañana, cuando D'Artagnan y Athos fueron a pagar por la estancia, se encontraron al posadero en su escritorio de la habitación de atrás.

—Aquí tiene lo que le debemos —dijo Athos dándole unas monedas. El posadero estudió las monedas que tenía en la mano. —Estas monedas son falsas —dijo—. Si no me dan monedas auténticas, haré que los arresten.

—¡Sinvergüenza! —exclamó Athos—. Sabe igual que yo que esas monedas son auténticas.

De pronto, el posadero sacó una pistola de la gaveta y gritó para pedir ayuda. Aparecieron tres hombres armados y agarraron a Athos.

—¡Me han atrapado! —gritó Athos—. ¡Corre, D'Artagnan!

D'Artagnan corrió por su vida. Agarró su caballo y galopó hasta el puerto de Calais, donde tomaría el transbordador a Inglaterra.

D'Artagnan llegó rápidamente al puerto de Calais y allí le dijeron que, por orden del cardenal, nadie podía embarcar sin una carta de permiso del gobernador del puerto. D'Artagnan no tenía tiempo para solicitar la carta; el transbordador partiría en menos de media hora. Desesperado, le rogó a otro pasajero que le diera su carta. Cuando el hombre se negó, D'Artagnan desenvainó su espada y le retó a un duelo. Fue una pelea difícil, pero D'Artagnan consiguió ganar y, con la carta en la mano, embarcó en el transbordador.

Agotado, D'Artagnan durmió durante casi todo el viaje por el Canal. A la mañana siguiente, cuando se despertó, vio los acantilados de Dover. Aunque apenas sabía hablar inglés, pudo decir "Duke of Buckingham", y pronto le indicaron cómo ir a la casa del duque.

Cuando el duque leyó la carta que D'Artagnan le había llevado, buscó inmediatamente la caja de madera de palisandro. Pero al abrirla, se llevó una horrible sorpresa: ¡habían desaparecido dos diamantes!

Al principio, el duque estaba confundido. ¿Quién se los había robado y cómo? Entonces recordó que la semana anterior había llevado los diamantes al baile de Windsor. Allí estuvo hablando con la duquesa de Winter que se mostró especialmente simpática con él.

—Quería distraerme para robarme los diamantes —dijo enojado—. ¡Esa mujer es una traidora y seguro que trabaja para el cardenal!

El regreso

Tanto el duque como D'Artagnan sabían que si la Reina no se ponía los doce diamantes el día del baile, el Rey se pondría furioso. Solo quedaban cinco días para el baile. El duque mandó a buscar al mejor joyero de Londres y este le dijo que podía hacer dos copias exactas en tan solo dos días.

Durante este tiempo, D'Artagnan se quedó en la casa del duque como invitado especial. El joyero también se hospedó allí. El duque le había montado un taller para que no se distrajera con otros encargos.

A las once del día siguiente, ya tenía los dos diamantes nuevos. Eran perfectos. Pero esa misma mañana, un nuevo decreto de ley prohibía que los barcos ingleses partieran rumbo a Francia, ya que los dos países estaban a punto de entrar en guerra. El duque le prometió a D'Artagnan que lo llevaría de vuelta a su casa sano y salvo. Contrató un pequeño barco privado para llevar a D'Artagnan a la pequeña ciudad de San Valery, en Francia. Una vez allí, D'Artagnan tenía que encontrar una bodega y, después de decir la contraseña secreta, el dueño le daría un caballo y le explicaría cómo llegar a París. D'Artagnan debía hacer cuatro paradas por el camino y, cada vez que dijera la contraseña, le darían lo que necesitara para continuar su viaje.

—No permitiré que nada se cruce en tu camino y te impida llevarle los diamantes a la reina Anne —le prometió el duque—. Te doy mi palabra.

Cuando D'Artagnan llegó a París, solo quedaban unas horas para el baile. La ciudad esperaba el evento con anticipación. En el palacio, llevaban días con los preparativos, y una gran multitud se aglomeró en el exterior para ver llegar a los invitados.

Dentro del palacio también había mucha gente que esperaba ansiosamente a que el Rey y la Reina salieran de sus aposentos y se dirigieran al salón de baile.

El cardenal se acercó al Rey antes de que entrara en el salón de baile y le mostró los dos diamantes que le había enviado la duquesa de Winter.

—Vigile atentamente a su esposa —le dijo— y cuente sus diamantes. Le faltan dos. Cuando le pregunte dónde están, se verá obligada a confesar su infidelidad.

—¿Infiel a mí? —rugió el Rey—. ¿Cómo te atreves a sugerir algo así?

—Espere y verá —dijo el cardenal.

El Rey entró en el salón de baile y la Reina llegó un poco más tarde. Todos los invitados observaban con admiración su precioso vestido. Pero al Rey le sorprendió que no llevaba los diamantes. Cuando le preguntó por qué, ella respondió: —Con tanta gente, no quería que se dañaran o se perdieran. Pero si lo deseas, ordenaré que me los traigan.

La Reina salió del salón con Constance a su lado. Con las prisas, no pudo apreciar la malvada sonrisa del cardenal, ni los dos diamantes que este sujetaba en la mano.

Los cuatro mosqueteros

Unos momentos más tarde, la Reina y Constance volvieron al salón de baile. La Reina llevaba un collar de diamantes brillantes. Se acercó tranquilamente al Rey y al cardenal.

—Veo que llevas los doce diamantes —dijo el Rey.

—Por supuesto —contestó la Reina. Entonces, vio los dos diamantes que tenía el cardenal y añadió—: ¿Va a regalarme dos más? ¡Catorce diamantes! ¡Qué regalo más generoso!

El Rey tenía la cara roja de rabia. Se giró al cardenal y dijo furioso: —¿Qué significa todo esto?

El cardenal avergonzado contestó: —Perdone, Su Majestad, solo quería ofrecerle a la Reina estos dos diamantes de regalo.

La Reina sonrió y aceptó con gusto los diamantes.

—Muchas gracias, Su Eminencia —dijo—. Estoy muy agradecida porque seguro que estos dos diamantes le han costado más de lo que pagó Su Majestad por los otros doce.

Su mirada hizo que el cardenal supiera que la Reina conocía perfectamente su plan. Entonces, la Reina y Constance se despidieron con una reverencia del Rey y del cardenal, se dieron media vuelta y se alejaron.

D'Artagnan, que había conseguido llevar los diamantes nuevos a la Reina justo a tiempo, había estado observando todo desde una esquina.

Unos momentos más tarde, Constance regresó al salón de baile para buscar a D'Artagnan. Le pidió que la siguiera por un largo pasillo hasta una sala privada donde le esperaba la Reina con un sirviente. La Reina estaba radiante y feliz, y sonrió al ver a D'Artagnan.

En cuanto la vio, D'Artagnan bajó la cabeza y se arrodilló ante ella. La reina Anne tomó la mano de D'Artagnan y, sin que nadie la viera, le dio algo. Entonces, sin decir una palabra, salió rápidamente de la sala.

D'Artagnan se quedó sin respiración al ver lo que la Reina le había dado: una pequeña caja con un anillo magnífico y una nota de agradecimiento firmada por la misma Reina. D'Artagnan estaba emocionado.

A la mañana siguiente, el señor de Tréville lo mandó llamar.

—Quiero darte la enhorabuena —dijo Tréville—. Anoche vi al Rey y a la Reina en el baile y, por la alegría de sus rostros, supongo que finalizaste tu misión con éxito.

—Fue un honor servir a mi Reina, señor —contestó D'Artagnan. Después le contó las aventuras que él y los tres mosqueteros habían vivido durante su viaje a Londres.

—He oído que los demás están sanos y salvos y ya vienen de regreso a París —dijo Tréville.

—Entonces mi felicidad es absoluta —contestó D'Artagnan.

Cuando D'Artagnan regresó a su casa, Constance Bonacieux le estaba esperando. —Nunca te lo podré agradecer lo suficiente —dijo.

—Nada me detendría para ayudar a mi Reina —contestó D'Artagnan—, o a ti. Aunque nunca podamos ser más que amigos, siempre te amaré.

—Gracias —dijo Constance tomando su mano. Por las lágrimas que tenía en los ojos, D'Artagnan sabía que ella también sentía lo mismo. Constance estaba casada con otro hombre, pero para él era suficiente saber que le amaba.

Unos días más tarde, en la mansión del señor de Tréville, D'Artagnan se reunió con los tres mosqueteros. Estaban muy contentos de volver a verse y todos tenían muchas historias emocionantes que contar. D'Artagnan estaba feliz. Había servido a su Reina, se había ganado la amistad de unos hombres admirables y se había ganado el corazón —aunque no la mano— de la mujer que amaba. No podía pedir más.

Sin embargo, el señor de Tréville tenía noticias para él. —En reconocimiento al servicio que prestaste a la Reina —dijo— y por tu gallardía, valentía y lealtad a tus camaradas, me complace admitirte en la Academia de Mosqueteros del Rey.

Por un momento, D'Artagnan no dijo nada. Después balbuceó: —Eso significa que...

—¡Sí! —exclamó Athos—. ¡Ahora eres uno de los nuestros!

Sus amigos mosqueteros le rodearon, levantaron sus espadas y gritaron a coro: —¡Todos para uno y uno para todos!

PINOCHO

Geppetto era un carpintero anciano que vivía solo y lo que más deseaba era tener un hijo. Un día, su amigo Antonio le dio un pedazo de madera muy especial, y Geppetto decidió que haría un muñeco con la madera.

—Será un muñeco maravilloso —le dijo a Antonio— y podrá bailar, pelear y dar volteretas, ¡como un niño de verdad!

Geppetto empezó a tallar la madera. —Lo llamaré Pinocho —se dijo a sí mismo—. Una vez conocí a un hombre llamado Pinocho y era muy afortunado. Este muñeco me traerá suerte y será como un verdadero hijo.

En cuanto terminó de tallar la cabeza de Pinocho, ¡al muñeco le empezó a crecer la nariz! Cuanto más intentaba recortarla, más crecía. Después, cuando le hizo la boca, el muñeco se rió de él.

Geppetto terminó de hacer el cuerpo y los brazos de Pinocho y, por último, las piernas. Pero en cuanto le hizo los pies, ¡Pinocho le pegó una patada y salió corriendo!

Geppetto corrió detrás de Pinocho. —¡Atrápenlo! ¡Atrápenlo! —gritaba a la gente que estaba en la calle.

—¡No! ¡Por favor, sálvenme de este hombre cruel! —gritó Pinocho y corrió más rápido.

Un policía que estaba por ahí oyó los gritos y cuando vio que Pinocho huía del hombre, agarró a Geppetto.

—Así que se dedica a ser cruel con un muñeco indefenso, ¿eh? —le dijo, ¡y se lo llevó a la cárcel!

El Grillo Parlante

Pinocho volvió corriendo a su casa, cerró la puerta y respiró aliviado. De pronto, oyó un extraño ruido y se dio la vuelta. "¡Cri, cri! ¡Cri, cri!"

—¿Quién anda ahí? —preguntó Pinocho asustado.

—Soy yo, el Grillo Parlante.

Pinocho vio un grillo grande y verde que trepaba por la pared. —¿Qué quieres, insecto feo? —preguntó.

—Quiero ayudarte —contestó amablemente el Grillo— y te diré algo muy importante: los niños que desobedecen a sus padres y se escapan nunca son felices. Los niños felices van a la escuela y estudian o aprenden un oficio para abrirse camino en el mundo.

—¡No me importa! —gritó Pinocho—. No quiero ir a la escuela, ni trabajar, ni hacer nada más que comer, beber y jugar. ¡Y eso es exactamente lo que pienso hacer!

—Te arrepentirás —dijo el Grillo.

—¡Tú eres el que se va a arrepentir! —dijo Pinocho agarrando una de las herramientas de Geppetto y persiguiendo al Grillo que, por suerte, consiguió escapar por la ventana abierta.

Pinocho se acostó para descansar, pero no podía dormir porque tenía demasiada hambre. Se levantó y buscó por la casa, pero no encontró ni una miga.

"A lo mejor el Grillo tenía razón —pensó Pinocho muy triste—. Si no me hubiera escapado, Padre estaría aquí y no tendría hambre. ¡Pobrecito yo!"

Pinocho estaba tan cansado que se quedó dormido. Se despertó al amanecer cuando oyó a Geppetto llegar.

—¡Siento haberme escapado! —lloró Pinocho—. Tengo muchísima hambre, Padre. ¡Le prometo que nunca más me portaré mal!

Geppetto estaba enojado con Pinocho, pero cuando lo vio llorar se le ablandó el corazón. Sacó tres peras grandes y jugosas que llevaba en el bolsillo y se las dio a Pinocho.

—Eso iba a ser mi desayuno —dijo—, pero te lo doy.

Pinocho se zampó las tres peras. Geppetto, por supuesto, se quedó sin desayunar.

Después de comer, Pinocho estaba de mucho mejor humor. Cuando Geppetto le dijo que tenía que ir a la escuela como un niño de verdad, Pinocho asintió.

—Pero necesitaré ropa, Padre —dijo—, y un libro del abecedario.

—Lo tendrás —dijo Geppetto. Como no tenía dinero, le hizo un traje con un papel estampado de flores, un sombrero de masa y unos zapatos de madera—. ¡Ahora pareces todo un caballero! —dijo orgulloso.

Después Geppetto agarró su único abrigo y salió de la casa. Cuando volvió, estaba tiritando y en mangas de camisa.

—¿Dónde está su abrigo, Padre? —preguntó Pinocho.

—Lo vendí para comprarte esto —contestó Geppetto y le mostró un libro nuevo del abecedario—. ¡Ya estás listo para ir a la escuela! —dijo feliz, dándole el libro a Pinocho.

El teatro de muñecos

Pinocho salió rumbo a la escuela muy contento, con el libro del abecedario debajo del brazo. Estaba pensando cuánto iba a aprender, cuando oyó una música a lo lejos. Se detuvo para escucharla con curiosidad.

—Sé que debería ir a la escuela —se dijo a sí mismo—, pero puedo ir después. ¡Antes tengo que saber de dónde viene esa música!—. Y salió corriendo hacia la plaza del pueblo.

En medio de la plaza había una carpa de colores brillantes con un cartel que decía "Teatro de muñecos".

—¿Cuánto cuesta la entrada? —le preguntó Pinocho al hombre de la ventanilla.

—Cuatro centavos —contestó el hombre.

—No tengo dinero —dijo Pinocho—, ¡pero aquí tiene mi libro del abecedario!

El hombre lo tomó y le dejó pasar.

Una vez dentro, Pinocho no se podía creer lo que veía. ¡En el escenario actuaban muñecos de madera, igual que él! La gente los miraba, se reía y aplaudía.

De pronto, uno de los muñecos que estaba en el escenario se paró y señaló a Pinocho.

—¡Mira! —gritó—. ¡Ha venido a vernos uno de nuestros hermanos de madera!

—¡Sí! —gritó otro muñeco—. ¡Ven con nosotros!

Pinocho saltó al escenario y el público aplaudió emocionado. Pinocho pasó el resto del día cantando y bailando con los otros muñecos. Estaba tan entretenido que se olvidó de la promesa que le había hecho a Geppetto.

El Zorro y el Gato

Cuando terminó el espectáculo, el Titiritero, Pinocho y los otros muñecos disfrutaron de una cena deliciosa y bailaron hasta que salió el sol. Antes de irse, el Titiritero le dio a Pinocho cinco monedas de oro para Geppetto.

Pinocho realmente quería volver a su casa sin distraerse, pero por el camino, se encontró con un zorro cojo y un gato ciego que se detuvieron a hablar con él.

—Buenos días, Pinocho —dijo el Zorro.

—¿Cómo sabe mi nombre? —preguntó Pinocho.

—Conocemos bien a tu padre, Geppetto —contestó Zorro—. Lo vimos esta mañana tiritando en mangas de camisa.

—Ya no va a tiritar más —dijo Pinocho—. Tengo cinco monedas de oro y voy comprarle un abrigo nuevo y un libro del abecedario para mí. Iré a la escuela y mi padre estará orgulloso de mí.

—Escucha —dijo el Gato—. ¡Puedes convertir tus cinco monedas de oro en miles!

—¿Cómo? —preguntó Pinocho.

—Podemos llevarte a un sitio que se llama el Campo de los Milagros —explicó Zorro—. Allí, si entierras una moneda de oro debajo de un árbol, la riegas y la dejas ahí toda la noche, ¡a la mañana siguiente tienes quinientas monedas!

Pinocho no lo pudo resistir.

—Está bien —dijo—. Iré con ustedes.

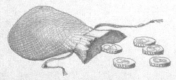

El consejo del Grillo

El Campo de los Milagros estaba muy lejos. Después de caminar casi todo el día, Pinocho y sus amigos se detuvieron en una posada para cenar.

—Mañana continuaremos a media noche —dijo el Zorro— y llegaremos al Campo de los Milagros al amanecer.

Después de cenar, el Zorro le pidió al posadero dos habitaciones para descansar antes de continuar su viaje. El Zorro y el Gato ocuparon una habitación. Pinocho ocupó la otra y se quedó dormido nada más meterse en la cama.

Cuando se despertó, el Zorro y el Gato se habían ido sin él, ¡y no habían pagado al posadero! Pinocho tuvo que pagar la cena y las habitaciones con una de sus monedas de oro.

Se fue solo, esperando encontrar el Campo de los Milagros. Al poco rato, vio un brillo verde en un árbol. Al acercarse, ¡vio que era el Grillo Parlante!

—No te fíes de esos dos granujas —dijo el Grillo—. Vuelve a casa con tu padre.

—Regresaré a casa con Padre cuando sea rico —dijo Pinocho—. Antes tengo que encontrar el Campo de los Milagros.

—La noche es muy oscura y la carretera está llena de peligros —le advirtió el Grillo.

—No me importa —dijo Pinocho—. Voy a continuar digas lo que digas. ¡Voy a hacer que Padre sea rico!

—¡Ten cuidado, Pinocho! —dijo el Grillo siguiéndole—. ¡Te arrepentirás!

Pinocho siguió por el camino, murmurando para sus adentros lo pesado que era el Grillo Parlante.

—Todo lo que hace es reñirme y decirme lo que tengo que hacer —se dijo a sí mismo—. Cuando sea rico le demostraré lo equivocado que está.

De pronto, delante de él aparecieron dos figuras oscuras envueltas en túnicas negras. Intentó escapar, pero eran demasiado rápidas. Lo agarraron del brazo y gruñeron: —¡Danos el dinero!

Pinocho se retorció y forcejeó y consiguió morder a uno de los ladrones en la mano, ¡aunque le pareció que era una garra! El ladrón gritó de dolor y le soltó, y Pinocho salió corriendo por el bosque.

Los ladrones le siguieron y por fin lo alcanzaron. Lo amarraron con una soga y lo colgaron de la rama de un roble muy alto.

—Volveremos mañana —le dijeron—. Para entonces, habrás cambiado de opinión y nos darás el dinero sin protestar.

¡Pobre Pinocho! Tenía frío y estaba cansado y asustado. Estaba convencido de que los ladrones le matarían cuando regresaran.

—¡Padre! —gritó—. ¡Ojalá pudieras ayudarme!

Pinocho no lo sabía, pero en una cabaña cercana, vivía un Hada Buena de Cabellos Azules. El Hada oyó los gritos de Pinocho y sintió mucha lástima por él.

El Hada de Cabellos Azules

La hermosa Hada de Cabellos Azules llamó a un milano y le pidió al pájaro que volara hasta donde estaba Pinocho y lo bajara del árbol. Después envió su carroza dorada al bosque para que fuera a buscar a Pinocho.

La carroza, tirada por doscientos ratones blancos, regresó rápidamente, y el Hada invitó a Pinocho a su cabaña. Pinocho estaba más muerto que vivo, así que el Hada llamó a tres doctores para que lo examinaran: el Cuervo, el Mochuelo y el Grillo Parlante.

—¿Se va a salvar? —le preguntó a cada uno de ellos.

—No —dijo el Cuervo—. Se ha muerto para siempre.

—Siento llevarle la contraria —dijo el Mochuelo—, ¡pero este muñeco está vivo!

—¿Qué opinas tú? —le preguntó el Hada al Grillo Parlante.

—Conozco a este muñeco desde hace tiempo —dijo el Grillo— y sé que es grosero, muy vago y que se ha escapado de su casa.

Aunque Pinocho tenía los ojos cerrados, tembló al oír las palabras del Grillo.

—Es un hijo desobediente —continuó el Grillo Parlante—, ¡y le ha roto el corazón a su padre!

Al oír esto, Pinocho empezó a llorar desconsoladamente. Le caían lágrimas por su cara de madera.

—Cuando los muertos lloran —dijo el Cuervo—, es señal de que se están recuperando.

El Hada les dio las gracias a los tres doctores y se despidió de ellos.

¡A Pinocho le crece la nariz!

El Hada le dio medicinas a Pinocho para que mejorara. Después le preguntó cómo había acabado colgado de la rama del árbol.

Pinocho le habló de las cinco monedas de oro, del Zorro y el Gato y del Campo de los Milagros, y de cómo le habían atacado unos ladrones con túnicas en el bosque.

—¿Dónde están ahora tus monedas de oro? —preguntó el Hada.

—Este... las perdí —dijo Pinocho, aunque las tenía en el bolsillo. En cuanto dijo esa mentira, le empezó a crecer la nariz.

—¿Dónde las perdiste? —preguntó el Hada.

—Este... en el bosque —dijo Pinocho. ¡La nariz le creció más! El Hada empezó a reírse.

—¿Por qué te ríes? —preguntó Pinocho.

—Me río porque cada vez que dices una mentira, te crece la nariz —contestó el Hada.

Pinocho estaba tan enojado que intentó escapar, pero como le había crecido tanto la nariz, no podía salir por la puerta. Se sentó y lloró. El Hada se compadeció de Pinocho y llamó a unos pájaros carpinteros. Los pájaros picotearon la nariz hasta que volvió al tamaño normal.

—Eres muy buena conmigo, Hada —dijo Pinocho—. ¡No quiero irme nunca!

—A mí también me gustaría que te quedaras —dijo el Hada—, pero tu padre ya ha salido a buscarte.

Pinocho salió corriendo para encontrarse con él.

No había llegado muy lejos cuando se encontró al Zorro y al Gato. —¿Qué haces aquí? —le preguntaron.

Pinocho les contó que unos ladrones habían intentado robarle sus monedas de oro.

—¡Qué sinvergüenzas! —dijo el Zorro.

—¡Increíble! —dijo el Gato—. ¿Que pasó con tus monedas de oro?

—Todavía las tengo —dijo Pinocho.

—¡Excelente! —dijo el Zorro—. ¡Entonces todavía las puedes enterrar en el Campo de los Milagros! Te llevaremos.

Caminaron durante horas hasta que llegaron a una pradera donde Pinocho cavó un hoyo y enterró las cuatro monedas de oro. Después regó la tierra con un poco de agua.

—Ahora —dijo el Zorro—, aléjate durante veinte minutos. Cuando regreses, verás una enredadera llena de monedas de oro.

—¡Gracias! —dijo Pinocho. Se alejó dando saltitos muy contento, pensando en lo rico que iba a ser.

Pero cuando regresó, el Gato y el Zorro se habían ido, y no vio ninguna enredadera, solo el hoyo vacío en el suelo donde había metido sus monedas.

—¡Ja ja ja ja! —se rió un papagayo sentado en la rama de un árbol mientras se limpiaba sus plumas brillantes.

—¿De qué te ríes? —preguntó Pinocho.

—¡Me río de un niño tonto que se ha dejado engañar por dos ladrones! —dijo el Papagayo.

Pinocho sabía que el pájaro tenía razón. Ahora ya no tenía nada y él era el único que tenía la culpa de todo.

Ayuda de una Paloma

Pinocho decidió volver a la cabaña del Hada para ver si Gepetto estaba allí. Atravesó pueblos, campos y colinas, cruzó el bosque donde había conocido por primera vez al Zorro y al Gato. Pero no había ni rastro de la cabaña. En su lugar, vio una pequeña losa de mármol, la lápida del Hada.

—¡No puede ser! Tiene que ser un error —exclamó Pinocho. Se arrodilló y lloró.

Una paloma que volaba por ahí vio a Pinocho. El pájaro bajó y se posó a su lado.

—Busco a un muñeco que se llama Pinocho —dijo.

—¡Yo soy Pinocho! —contestó el muñeco sorprendido.

—¡Tu padre, Geppetto, te ha estado buscado por todas partes! —dijo la Paloma.

—Yo también le he estado buscado —dijo Pinocho—. ¿Sabes dónde está?

—Lo vi en la costa hace tres días —dijo la Paloma—. Estaba construyendo un barco para cruzar el océano y buscarte en tierras lejanas.

—¿Cómo de lejos está la costa? —preguntó Pinocho.

—A muchísimas millas —contestó la Paloma—. Caminando tardarías días. ¡Sube a mi lomo y te llevo!

Pinocho se subió y se acomodó en el lomo de la Paloma.

—¡Rápido! —dijo contento cuando la Paloma alzó el vuelo.

Geppetto se pierde en el mar

Muy pronto, la Paloma volaba por encima de las nubes. Cada vez que Pinocho miraba hacia abajo, se mareaba, así que se agarró con fuerza al cuello de la Paloma para no caerse.

Volaron durante horas y solo se detuvieron para descansar por la noche. A la mañana siguiente, llegaron a la costa.

A Pinocho le sorprendió ver un montón de gente en la costa, mirando hacia el mar. Algunos gritaban y lloraban y todos parecían muy preocupados.

—¿Qué ocurre? —le preguntó Pinocho a una anciana.

—Ahí hay un hombre —contestó—, en un barco pequeño. Él mismo fabricó el barco para ir a buscar a su único hijo. ¡Con esta tempestad se podría ahogar!

—¡Es mi padre! —gritó Pinocho con lágrimas—. ¡Me está buscando a mí!

Las olas movían el barco con tanta fuerza que aparecía y desaparecía todo el tiempo. Pinocho se subió a una roca e intentó llamar a su padre. Geppetto lo debió oír porque se quitó la gorra y le saludó con la mano. Intentó cambiar el rumbo del barco para regresar a la costa.

De pronto, se levantó una ola enorme y volcó el barco. Geppetto salió disparado al mar salvaje y oscuro y no volvió a aparecer. La gente gritó desesperada y algunos empezaron a rezar.

—¡Le salvaré! ¡Salvaré a mi padre! —gritó Pinocho y, armándose de valor, se lanzó al mar.

Como Pinocho era de madera, podía flotar y nadó durante todo el día y toda la noche bajo la lluvia, el granizo, los truenos y los relámpagos, hasta que una ola enorme lo levantó y lo llevó hasta una isla.

Por fin el cielo se aclaró, salió el sol y el mar volvía a estar en calma. Pinocho buscó el barco de su padre, pero no lo veía por ningún lado. Un delfín asomó la cabeza en el mar y le saludó.

—¿Has visto un barco pequeño con mi padre a bordo? —le preguntó Pinocho al simpático Delfín.

—Si su barco era pequeño, la tormenta de anoche lo debió destruir y a tu padre se lo debió tragar el tiburón que acecha en estas aguas—contestó el Delfín.

—¿Es un Tiburón muy grande? —preguntó Pinocho asustado.

—¿Grande? —dijo el Delfín—. Para que te hagas una idea, es más grande que un edificio de cinco pisos y por su boca podría caber un tren.

—¡Oh, no! —exclamó Pinocho más asustado que nunca.

Aunque estaba asustado, sabía que tenía que encontrar a Geppetto, pero antes debía comer y beber algo. El Delfín le dijo dónde había un pueblo donde podría encontrar comida, y Pinocho se puso en camino.

Una amiga del pasado

Mientras avanzaba por el camino caluroso y polvoriento, Pinocho vio una mujer con dos cántaros grandes de agua.

—Por favor —le pidió Pinocho—, ¿me puede dar un poco de agua?

—Por supuesto —dijo la mujer muy amable—. Parece que también tienes hambre. Si me ayudas a llevar estos cántaros de agua a mi casa, te daré algo de comer.

Pinocho asintió, y la mujer le ofreció una comida deliciosa de coliflor con queso, pan y pastel.

Mientras comía, Pinocho levantó la vista y vio que era... ¡Efectivamente! ¡El Hada Buena de Cabellos Azules! Parecía algo mayor, pero no había duda de que era ella.

Pinocho estaba tan contento que empezó a llorar.

—¡Pensaba que te habías muerto! —gritó—. Ay, cómo me gustaría poder hacerme mayor como tú. ¡Me encantaría ser un niño de verdad y que fueras mi madre!

—Puedes llegar a ser un niño de verdad —dijo el Hada—, pero antes debes merecerlo. Tienes que ser amable y obediente e ir a la escuela. ¿Crees que podrás hacer eso?

—Sí, lo prometo —dijo Pinocho—. Quiero ser un niño bueno y ayudar a mi padre. ¡Mi pobre padre! ¿Crees que lo volveré a ver algún día?

—Seguro que sí —dijo el Hada Buena.

—Estoy tan feliz de verte —dijo Pinocho—. Si supieras lo mucho que sufrí al ver tu lápida...

—Por eso he vuelto, para verte —explicó el Hada—. Tu sufrimiento ha demostrado que tienes buen corazón.

Problemas en la escuela

Pinocho salió temprano por la mañana para ir a la escuela. Estaba nervioso, pero había decidido estudiar y portarse bien para demostrar al Hada que se merecía ser un niño de verdad.

Sin embargo, cuando llegó a la escuela, los otros niños se rieron y se burlaron de él porque era un muñeco.

Pinocho intentó ignorarlos, pero al terminar las clases, los niños le halaron de la ropa y le pegaron. Pinocho se defendió y pronto empezó una pelea.

Cuando la gente oyó los gritos en la calle, llamó a la policía, que llegó rápidamente con un perro grande y furioso.

Todos los niños salieron corriendo y dejaron a Pinocho solo en medio del parque. Como no quería que le arrestaran, huyó corriendo hacia el mar. El perro corrió detrás.

Aterrorizado, Pinocho saltó al agua. El perro también saltó, pero aunque parezca extraño, ¡no sabía nadar! Todo lo que podía hacer era ladrar y jadear muerto de miedo.

Pinocho miraba al perro mientras este intentaba mantenerse a flote. Entonces recordó las palabras del Hada y lo bueno que era su padre, y agarró al perro por la cola y lo arrastró hasta la costa.

El pobre perro estaba tan débil que apenas se podía mantener en pie. —Gracias por salvarme la vida, Pinocho —dijo muy agradecido.

Más promesas rotas

Pinocho se alegraba de estar de nuevo en tierra firme. Después de recuperar el aliento y secarse, decidió que tenía que volver a la casa del Hada Buena.

Cuando llegó, Pinocho le contó que los niños se habían burlado de él y que le había perseguido un perro muy grande y rabioso.

—Te perdono por haberte peleado con los niños —dijo el Hada—, pero debes prometer que no volverás a meterte en problemas.

—Lo prometo —dijo Pinocho.

Esta vez cumplió su promesa y lo hizo tan bien que un día, el Hada le dijo que le concedería su deseo.

—Mañana serás un niño de verdad y lo celebraremos con una fiesta —dijo—. Si quieres, puedes ir a invitar a todos tus amigos, pero debes regresar antes del anochecer.

Pinocho corrió muy feliz. Al primero que se encontró fue a un niño llamado Espárrago. Cuando Pinocho le invitó a la fiesta, Espárrago dijo que no podía ir.

—Voy al País de los Juguetes —le dijo a Pinocho—. Es un sitio increíble donde puedes jugar todo el día y no hay que ir a la escuela. Deberías venir. La carreta que me va a llevar está a punto de llegar.

—Le prometí al Hada que volvería antes del anochecer —dijo Pinocho. Entonces, pensó un momento y preguntó—: ¿Estás seguro de que en el País de los Juguetes no hay que ir a la escuela?

—¡Segurísimo! —dijo Espárrago.

—¡Entonces iré! —decidió Pinocho.

Cuando llegó la carreta, a Pinocho le gustó ver que estaba llena de niños de todas las edades. El conductor era un hombre gordo y alegre, con la cara sonrosada y la sonrisa más amable que Pinocho había visto nunca. En cuanto lo vio, Pinocho sabía que iba a divertirse mucho.

Veinticuatro burros tiraban de la carreta y todos eran de distintos colores. ¡Algunos hasta tenían rayas azules y amarillas! Lo más raro era que llevaban zapatos con cordones, como los zapatos de los niños.

Viajaron durante toda la noche y al amanecer, cuando por fin llegaron al País de los Juguetes, Pinocho y los otros niños salieron felices de la carreta.

El País de los Juguetes no se parecía a ningún lugar que Pinocho hubiera visto antes. Había niños gritando, riéndose y jugando por todas partes. Algunos jugaban a la pelota, otros se perseguían y montaban en bicicletas o caballos de madera. No había adultos y nadie parecía tener más de catorce años.

No había escuelas ni maestros, nadie que gritara a los niños o las niñas y les dijeran lo que tenían que hacer. La plaza estaba llena de escenarios de madera y, en una pared, alguien había escrito: ¡VIVA EL PAÍS DE LOS JUGUETES! ¡FUERA LA ESCUELA!

—¡Este lugar es genial! —le dijo Pinocho a Espárrago mientras recorrían todo felices.

—Te lo dije —contestó Espárrago—. ¡Ahora, vamos a jugar!

Una sorpresa desagradable

Pasaron cinco meses. Pinocho y Espárrago nunca abrieron un libro ni se sentaron en un pupitre. Solo jugaban y se reían, desde que se levantaban hasta que se acostaban, día tras día.

Entonces, una mañana, Pinocho se llevó una sorpresa desagradable.

Cuando se despertó, notó algo raro. Se llevó la mano a la cabeza ¡y vio que tenía unas orejas peludas de más de diez pulgadas de alto!

Corrió a mirarse al espejo y descubrió que por la noche le habían salido orejas de burro.

Quería gritar, pero de su boca solo salió un rebuzno: —¡Iiiija!—. Pinocho empezó a llorar, pero sus gemidos eran rebuznos de burro.

Al oír el ruido, Espárrago entró en la habitación. ¡A él también le habían salido orejas de burro! —¿Qué ocurre? —intentó decir Espárrago, pero todo lo que salió de su boca fue—: ¡Iiiija!—. Cuando se miró en el espejo y vio sus orejas, empezó a llorar y a soltar los mismos rebuznos de burro que Pinocho.

Los dos niños lloraron hasta que ya no podían llorar más, entonces empezaron a rebuznar y a reírse. De pronto sus piernas se convirtieron en patas, sus caras en hocicos y les salió un pelaje gris y duro en la espalda. También les salió una cola. ¡Se habían convertido en burros!

Dejaron de rebuznar cuando alguien llamó a la puerta.

—Soy el Conductor de la Carreta —dijo una voz—. ¡Abran la puerta!

El Conductor de la Carreta sonrió a los niños.

—¡Ahora que son burros ya están listos para ir al mercado! —dijo acariciándoles el pelaje.

El Conductor no era tan bueno como parecía. Era un villano que se llevaba a los niños malos que odiaban la escuela al País de los Juguetes. Allí los convertía en burros y los vendía al mejor precio.

Vendió a Espárrago a un granjero, y a Pinocho lo compró el dueño de un circo que le daba de comer paja seca y le enseñó a hacer trucos. Cuando no hacía bien los trucos, el dueño le pegaba. Era una vida muy dura, y Pinocho era muy infeliz.

"Si hubiera cumplido la promesa que le hice al Hada —pensó Pinocho muy triste—, ahora estaría en su casa y sería feliz".

Una noche, en el circo, Pinocho tenía que saltar por un aro, pero se le engancharon las patas traseras y se cayó al suelo. Cuando se levantó, se había quedado cojo.

—Ya no me sirves para nada —gruñó el dueño. Al día siguiente, lo vendió a un hombre que quería arrancarle la piel para hacer un tambor. El nuevo dueño lo lanzó al agua para que se ahogara y así quitarle la piel. Pero Pinocho no se ahogó. Empezó a nadar. Mientras nadaba sintió que se le iba cayendo el pelaje y volvía a ser Pinocho, el muñeco de madera.

Pinocho nadaba contento porque volvía a ser el muñeco de siempre, cuando un horrible monstruo marino asomó la cabeza en el agua. Tenía la boca enorme y llena de dientes afilados y brillantes. Pinocho sabía que era el Gran Tiburón. Intentó escapar, pero no fue lo suficientemente rápido. El Gran Tiburón se lo tragó de un bocado, y Pinocho rodó hasta la barriga del tiburón.

Asustado y sin poder ver nada en el estómago oscuro, Pinocho avanzó a tientas. Un atún muy amable que también lo había devorado el Tiburón le dijo que iba en dirección contraria.

—Yo voy a intentar salir por la boca del Tiburón —le dijo el Atún—. Ven conmigo.

Pero Pinocho estaba demasiado asustado para seguirlo.

Un momento más tarde, vio una débil luz a lo lejos. A medida que se acercaba, distinguió una mesa con platos y cubiertos, iluminada por una vela en una botella. Un hombre anciano y cansado estaba sentado a la mesa. Pinocho casi se desmaya al ver quién era.

—¡Padre! —gritó y salió corriendo hacia el anciano.

—¡No puedo creerlo! —gritó Geppetto, abrazando a Pinocho—. ¿Eres realmente tú, mi querido Pinocho?

—¡Sí, Padre, sí! —dijo Pinocho—. Y ahora que le he encontrado, nunca más volveré a separarme de usted.

Los dos se abrazaron y lloraron de alegría. Entonces Pinocho y Geppetto hablaron de todo lo que les había pasado desde la última vez que se habían visto.

Cuando terminaron de contarse historias, Pinocho dijo: —Padre, tenemos que encontrar la manera de salir de aquí. Conocí a un Atún que intentaba nadar hasta la boca del Tiburón. Creo que deberíamos hacer lo mismo.

—Pero Pinocho —dijo Geppetto—, ¡yo no sé nadar!

—No se preocupe, Padre —dijo Pinocho—. Yo nado muy bien y le llevaré.

Subieron hasta la garganta del Tiburón y esperaron a que el monstruo se durmiera.

—Ha llegado el momento —le dijo Pinocho a Geppetto. Con cuidado de no resbalarse, se arrastraron por la enorme lengua del Tiburón hasta su boca. El Tiburón dormía con la boca abierta, lo que facilitó mucho las cosas.

—Agárrese a mis hombros, Padre —susurró Pinocho. Geppetto se agarró bien y Pinocho se lanzó al mar y se alejó nadando del Tiburón. ¡Lo consiguieron!

Mientras Pinocho nadaba, sintió que Geppetto tiritaba. No sabía si su padre temblaba de frío o de miedo, pero intentó mantener la calma por los dos.

—Yo no falta mucho, Padre —dijo—. Seguro que ya estamos cerca de la costa.

Pero no lo estaban. Pinocho no veía más que el mar y cada vez estaba más cansado.

De pronto, una voz amable dijo: —Agárrate a mi cola y te llevaré a la costa—. ¡Era el Atún que Pinocho había conocido en la barriga del Gran Tiburón!

El Atún los llevó a salvo hasta la costa. Después de darle las gracias porque les había salvado la vida, Pinocho y Geppetto salieron a buscar una casa donde pudieran comer algo. Geppetto estaba tan débil que tenía que apoyarse en el hombro de Pinocho.

—No se preocupe, Padre —dijo Pinocho con cariño—. Podemos descansar cuando quiera.

No habían dado más de cien pasos cuando Pinocho vio dos figuras que le resultaban conocidas: el Zorro y el Gato. ¡Tenían un aspecto horrible! El Gato estaba ciego y flaco y el Zorro había perdido pelo y había tenido que vender su cola.

—Ay, querido Pinocho —dijo el Zorro con tristeza—, por favor danos uno o dos centavos. Ya ves lo viejos, cansados y enfermos que estamos.

Pero Pinocho no iba a dejar que lo engañaran otra vez. Él y Geppetto los dejaron a un lado del camino.

Al final de la carretera, encontraron una cabaña de paja cerca de unos árboles. Llamaron a la puerta y, para la sorpresa de Pinocho, la abrió... ¡el Grillo Parlante!

El Grillo preparó una cama mullida de paja para Geppetto y le dijo a Pinocho que si ayudaba a un amable granjero con sus tareas, este le daría leche a cambio.

Pinocho corrió a la granja, dispuesto a hacer todo lo que fuera para ayudar a su padre. Estaba muy contento porque sabía que, al fin y al cabo, el Grillo Parlante siempre había sido su amigo.

Por fin, un niño de verdad

Durante los meses siguientes, Geppetto se puso más fuerte gracias a la leche que Pinocho llevaba a casa.

Pinocho había aprendido a hacer canastos de paja y los vendía en el mercado. Con el dinero que ganaba, compraba comida y libros. Aprendió a leer él solo y estudiaba mucho todas las noches.

Un día, se quedó dormido y soñó que el Hada de los Cabellos Azules volvía. —Buen trabajo, Pinocho —le dijo—. Has demostrado que puedes trabajar duro y que tienes buen corazón. Te perdono todas las travesuras que has hecho. Sigue portándote así y serás feliz.

Pinocho abrió los ojos y se encontró en una cama muy cómoda en una habitación grande y luminosa. En una silla vio ropa muy elegante. Cuando Pinocho se la puso y se miró en el espejo, descubrió algo increíble.

En lugar de ver al muñeco de madera, ¡vio un niño de mejillas sonrosadas con el cabello marrón y los ojos azules!

—¡Padre! —gritó Pinocho feliz. Corrió a la habitación donde estaba Geppetto tallando un marco muy bonito, como solía hacer. Pinocho saltó encima de su padre—. ¡Padre, míreme! —dijo—. ¡Ya no soy un muñeco!

—No —dijo Geppetto—. Eres mi hijo y soy feliz.

—Yo también soy feliz, Padre —dijo Pinocho sonriendo—. Ahora por fin soy un niño de verdad.

ROBIN HOOD

Una mañana soleada de primavera, durante el reinado del Rey Enrique II, un joven de dieciocho años bajaba por un camino del Bosque de Sherwood, cerca de Nottingham. Era un muchacho alto y fuerte y llevaba un arco y un carcaj con flechas al hombro.

Cerca del camino, vio a unos hombres sentados bajo un roble, compartiendo un barril de cerveza. En el fuego había un trozo de carne asada. Uno de los hombres miró al joven. Tenía una barba fina que terminaba en punta.

—¿Dónde vas? —le preguntó.

—Voy a Nottingham —contestó el joven—. ¿Con quién tengo el placer de hablar?

—Somos los guardabosques del Rey —contestó otro—. Buscamos a los ladrones que roban los salmones del Rey.

—Voy a la competencia de tiro que ha organizado el alguacil de Nottingham —contestó el joven—. Y pienso ganarla.

Los guardabosques empezaron a reírse. —¿Piensas que vas a ganar a todos los arqueros de Nottingham?

Al joven se le puso la cara roja de rabia. —Apuesto mi valioso arco a que soy mejor que cualquiera de ustedes. Voy a disparar al ciervo más grande de esa manada al otro lado del claro —dijo. Puso una flecha en su arco y tensó la cuerda. La flecha silbó por encima de las cabezas de los hombres. Un 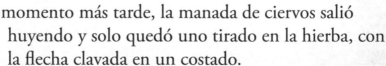 momento más tarde, la manada de ciervos salió huyendo y solo quedó uno tirado en la hierba, con la flecha clavada en un costado.

—¿Por qué hiciste eso, tonto? —gritó el hombre de la barba puntiaguda—. Mataste uno de los ciervos del Rey. Ahora ofrecerán una recompensa de doscientos pesos a quien te atrape.

—Hicieron que me enojara tanto que no sabía lo que estaba haciendo —contestó el joven—. Usted es una persona malvada y provoca a la gente honesta para que rompa la ley.

El hombre de la barba se puso de pie. Sus ojos brillaban de rabia.

—¿Cómo te atreves a hablarme así? Soy el alguacil de Nottingham. He presenciado tu crimen con mis propios ojos y me aseguraré de que el Rey me pague la recompensa.

—Señor, aquí el ladrón es usted porque ha matado y asado uno de los ciervos del Rey —dijo el joven señalando la carne que estaba en el fuego.

El alguacil se giró a sus hombres y ordenó:

—¡Arréstenlo!

Pero el joven era demasiado rápido para ellos. Antes de que pudieran desenvainar la espada, ya había desaparecido.

—Dejen que se vaya —se rió el alguacil de Nottingham—. Lo atraparemos más tarde. Vayan al pueblo y averigüen quién es. Capturar a ese granuja será divertido. Haré que se arrepienta toda su vida del día que me llamó ladrón.

Los hombres del alguacil buscaron por todas partes, pero no pudieron encontrar al joven. Sin embargo, descubrieron que se llamaba Robin. Su padre había sido un gran enemigo del alguacil antes de morir. La madre de Robin también había muerto.

Robin conoce a un gigante

Robin vivía en una mansión con su tío rico. Pero ahora que era un fugitivo, tuvo que montar un campamento en el bosque de Sherwood. Todos en Nottingham cuchicheaban emocionados las noticias:

—Se llama Robin Hood. Ha reunido a un grupo de hombres para robar a los viajeros ricos y darles el dinero a los pobres —dijo un hombre.

—¡Menos mal que alguien nos defiende a los pobres! —exclamó otro.

—Will Scarlet se ha unido a su grupo. Era el mayordomo del tío de Robin y un hombre muy sabio —dijo un tercero.

Alguien más dijo: —Se visten de verde para que no los vean entre la maleza. Son muy buenos con el arco y las flechas y también con las espadas y los garrotes. Robin tiene un cuerno. Si lo hace sonar dos veces, significa que deben huir y si lo toca tres veces, significa que deben acudir en su ayuda inmediatamente.

Al día siguiente se oyeron tres sonidos de cuerno en los pueblos de los alrededores del bosque de Sherwood. Robin estaba solo cuando llegó a un puente angosto. Al otro lado del puente vio a un hombre inmenso, que medía más de siete pies de altura.

—Apártate —dijo Robin— y deja que el más valiente pase antes.

—Entonces apártate tú —gruñó el gigante— porque yo soy más valiente.

—Déjame pasar o te clavaré una flecha en las costillas —contestó Robin.

—Hablas como un cobarde —retronó el gigante—. ¿Cómo te atreves a amenazarme con una flecha cuando ves que yo solo tengo una estaca?

—Nunca me han llamado cobarde —protestó Robin—, pero si quieres una pelea justa, espera y verás.

Robin se acercó a un arbusto y rompió una rama. Después quitó las ramas pequeñas para hacer su propia estaca.

—Ahora estamos igual —dijo Robin—. Vamos, zoquete. Veamos de qué estás hecho.

El gigante dio un paso adelante y Robin también. El puente se tambaleó mientras luchaban con sus palos. Robin intentó darle al gigante en la espalda, pero el hombre se movió rápidamente, agarró la estaca de Robin y lo lanzó al río.

—¿Está fría el agua? —rugió.

—Caliente como un caldero al fuego —contestó Robin. Salió del río temblando como un gato mojado—. Nunca había visto a nadie pelear mejor con la estaca. ¿Cómo te llamas?

—Me llaman John el grande.

—A mí no me pareces tan grande —se burló Robin—. Creo que te llamaré Johnny. ¿Te gustaría unirte a mi grupo de fugitivos en el bosque de Sherwood?

—¿Te refieres a los hombres de Robin Hood? —dijo Johnny.

—Sí —respondió Robin y sopló tres veces el cuerno—. Aquí vienen.

A partir de ese momento, Johnny se convirtió en la mano derecha de Robin.

La trampa del alguacil

Durante las siguientes semanas, el alguacil de Nottingham enviaba a un hombre tras otro para arrestar a Robin. Ninguno lo consiguió porque Robin era astuto como un zorro y se escapaba, además la gente del pueblo lo ayudaba a esconderse. El alguacil estaba muy preocupado porque sabía que el Rey Enrique había oído hablar de Robin y quería capturarlo.

Una mañana, el alguacil anunció a sus hombres: —Tengo el plan perfecto para atrapar a ese delincuente. Escúchenme todos...

Unos días más tarde, Robin regresó al bosque de Sherwood después de una redada. —He oído que el alguacil ha organizado una competencia de tiro al arco en su castillo —les dijo a sus hombres—. El premio es una flecha de oro. ¿Qué les parece si ganamos esa flecha?

—Ten cuidado, Robin —dijo uno de sus seguidores llamado David de Doncaster—. Nuestro buen amigo, el casero de la posada Blue Boar de Nottingham, dice que es una trampa.

—No me dan miedo las trampas —se rió Robin—. Iremos disfrazados de caldereros, mendigos y frailes.

La mañana de la competencia de tiro al arco era soleada y calurosa. Una gran multitud se había reunido alrededor del castillo. Los nobles y los ricos estaban sentados en bancos; los pobres se apelotonaban en la hierba detrás de una valla. En la hierba, en el lado opuesto de la diana, había una carpa grande decorada con cintas donde esperaban los arqueros. Casi todos eran famosos, pero a algunos de ellos no los conocía nadie en Nottingham.

El alguacil salió del castillo en un caballo blanco como la leche, seguido de su esposa en un poni marrón. Se sentaron en la plataforma y el trompetista anunció el comienzo. Un caballero desenrolló un pergamino y leyó las reglas.

—Cada arquero puede disparar una vez a la diana. Los diez arqueros que claven su flecha más cerca del centro dispararán dos flechas más cada uno. Los tres que consigan dar en el centro, podrán disparar otra vez. El que consiga disparar más cerca del centro será el ganador. Que gane el mejor.

Los arqueros se pusieron en sus puestos detrás de una línea a doscientos cuarenta pies de la diana. Cada vez que disparaban, el alguacil los observaba con atención. Ninguno de ellos iba vestido de verde. ¿Acaso Robin Hood no había caído en la trampa?

—Ahora hay demasiada gente para poder ver bien —le susurró el alguacil al heraldo encargado de la competencia—. Esperaremos a que solo queden diez arqueros.

Por fin se clasificaron diez arqueros para la siguiente ronda. Ocho de ellos eran arqueros famosos de los alrededores de Nottingham. También había un hombre vestido de azul que decía ser de Londres y un viejo mendigo vestido de rojo que llevaba un parche en el ojo izquierdo.

"Ninguno de esos parece Robin Hood", pensó el alguacil. El hombre de azul era demasiado alto. El viejo que iba de rojo tenía la barba marrón y más espesa que la de Robin. Además era demasiado mayor y estaba tuerto.

Un ganador inesperado

—Ese granuja es demasiado cobarde para venir —gruñó el alguacil. Ahora ya solo quedaban tres arqueros en la competencia: dos de los arqueros famosos y el forastero vestido de rojo.

—Y ahora —anunció el heraldo—, ¿cuál de estos increíbles arqueros conseguirá dar en el centro de la diana?

La flecha del primer arquero se clavó en el borde del centro. El segundo arquero, Sir Adam, consiguió dar en el clavo.

—¡Buen trabajo! —dijo el alguacil—. Dudo que el forastero de rojo pueda mejorar ese disparo.

El forastero se colocó en su puesto, levantó el arco y empezó a abrir y cerrar su ojo exageradamente. Apuntó. ¡*Zing*! La flecha salió disparada por el aire, atravesó la flecha de Sir Adam y la partió por la mitad.

—¡Es milagroso! —exclamó Sir Adam al forastero—. Me inclino ante su destreza. Nadie podría superar eso.

Declararon al desconocido como el ganador de la competencia. El alguacil se puso de pie y le pidió que se acercara.

Cuando le entregó la flecha de oro, el alguacil le susurró: —Únete a mi equipo. Si atrapas a Robin Hood te haré rico.

—No, Su Señoría —contestó el forastero—. Yo no quiero servir a ningún jefe.

—Entonces vete de aquí antes de que te mande encadenar, necio insolente —gruñó el alguacil furioso.

El desconocido se subió a su caballo, vitoreado por la multitud, y salió galopando del castillo. Solo se detuvo cuando llegó al bosque de Sherwood. Allí se quitó el parche y la barba postiza para revelar su identidad a los fugitivos que le esperaban. Era Robin Hood.

—Aquí tienen, amigos —dijo colgando la flecha de oro de la rama de un roble—. Una buena decoración.

Esa noche, durante la cena, el alguacil de Nottingham estaba furioso.

—Después de tantos esfuerzos el cobarde de Robin Hood no se atrevió a dar la cara —le dijo a su esposa.

Mientras hablaba, entró una flecha por la ventana y se clavó en la mesa de madera. En la flecha había un trozo de papel amarrado.

La esposa del alguacil lo abrió. Dentro había un poema:

Eres el más tonto
que en Sherwood existió,
puesto que tu premio
Robin Hood lo recibió.

El alguacil se puso más furioso todavía al descubrir que le habían engañado. Ordenó a sus soldados que buscaran a Robin y sus hombres por todo el condado y no descansaran hasta encontrarlos.

Los fugitivos tuvieron que esconderse en las profundidades del bosque y vivir de lo que podían atrapar con sus propias manos.

Will Scarlet en problemas

Una mañana, Johnny le dijo a Robin: —Nos estamos quedando sin comida. ¿Por qué no intentamos averiguar si los hombres del alguacil siguen buscándonos o si ya podemos regresar a salvo a los pueblos?

—Enviaremos a alguien a la posada Blue Boar —dijo Robin. Todos querían ir, pero Robin eligió a Will Scarlet.

Ese día, más tarde, un viejo fraile entró en la posada Blue Boar y se encontró a un montón de guardias del alguacil comiendo pastel de carne. El posadero se acercó a él.

—¿Quiere cerveza, buen fraile?

—No, leche.

—¿Oyeron eso? —se rió uno de los hombres del alguacil—. Es la primera vez que veo un hombre con hábito rechazar una cerveza.

—¿Con quién piensan pelear con esas espadas? —preguntó el fraile.

—Estamos buscando a Robin Hood —le contestaron.

Justo entonces, el posadero le llevó un cuenco de leche al fraile. El gato de la taberna, al olerlo, saltó encima, pero se resbaló y al caer, intentó agarrarse al hábito del fraile.

—Oye —rugió el oficial a cargo de los hombres—, he visto una tela verde debajo de tu hábito. Tú eres uno de los hombres de Robin Hood.

Los soldados agarraron al pobre fraile, lo sacaron a rastras de la posada y lo llevaron al castillo. Era Will Scarlet.

Un rescate arriesgado

Las noticias de la captura de Will llegaron a Robin Hood esa misma tarde. —Piensan colgarlo en la pequeña colina de las afueras del castillo de Nottingham mañana al atardecer —dijo el mensajero.

Los fugitivos rodearon a Robin y le preguntaron qué iban a hacer. —Tengo un plan —dijo Robin—. Escuchen atentamente...

Al día siguiente, al atardecer, se había aglomerado una multitud en el castillo de Nottingham. El alguacil había ordenado construir una horca cerca de la gran puerta del castillo. La puerta se abrió y salió una larga fila de soldados. El alguacil iba detrás en su caballo, protegido por una cota de malla. En la mano tenía un pergamino con la sentencia de muerte de Will. Después apareció Will Scarlet en una carreta, con las manos atadas en la espalda.

—¡Espero que la ejecución de este hombre sirva de lección a aquellos que se atreven a desafiarme, a mí y al Rey Enrique! —dijo el alguacil.

Will Scarlet estaba muerto de miedo. Sus ojos recorrían la multitud intentando encontrar algún amigo. De pronto, vio una sonrisa bajo la capucha de un calderero. Era Robin Hood. Will consiguió distinguir a otros amigos entre la multitud: Alan-a-Dale, David de Doncaster y Arthur-a-Bland. Pero estaban rodeados de soldados.

Entonces la multitud empezó a acercarse a Will.

—¡Atrás! —gritó el alguacil.

Un hombre inmenso saltó a la carreta. —Hola, Will —dijo. Era Johnny y estaba armado con un cuchillo pequeño.

—¡Traidores! —rugió el alguacil. Haló de las riendas y su caballo se alzó sobre las patas traseras. El caballo que tiraba de la carreta se apartó, haciendo que Johnny se tambaleara y perdiera el cuchillo que tenía en la mano.

—Necesitamos algo para liberarte, Will. ¿Qué podemos hacer? —preguntó Johnny. Después sonrió, saltó encima del caballo del alguacil y, rápido como un rayo, le quitó la espada.

Blandió dos veces la espada y liberó a Will. Johnny se lo cargó al hombro y se metió entre la multitud. Se oyeron tres soplidos de cuerno y un momento más tarde, aparecieron hombres vestidos de verde por todas partes. Superaban en número a los hombres del alguacil y, antes de que estos pudieran reaccionar, Robin y los fugitivos desaparecieron entre la multitud.

—¡Tienes los días contados, Robin Hood! —gritó el alguacil indefenso.

Le respondieron con una flecha que se clavó en el pergamino que llevaba en la mano.

Después del incidente de la horca, el alguacil de Nottingham tenía tanto miedo de Robin que no se atrevía a aparecer en público. Mientras tanto, el grupo de Robin era cada vez más numeroso. En el bosque de Sherwood se oían las risas y los golpes de las espadas cuando practicaban. Los pobres idolatraban sus nombres porque sabían que podían acudir en su ayuda si tenían hambre o se quedaban sin hogar.

Otro fichaje

Una mañana soleada, Robin, Alan-a-Dale y Will Scarlet viajaban por un camino en el campo.

—¿Quién es ese que se acerca? —preguntó Will.

—Un molinero —contestó Alan—. Tiene un molino en las afueras de Nottingham.

—Ese saco que lleva al hombro debe de pesar mucho —dijo Robin—. Vamos a quitárselo.

—¡Pero es pobre! —explamó Alan.

—Solo se lo quitaremos para hacerle una broma —dijo Robin—. Vamos a llevarlo al bosque, invitarle a un buen festín y llenar sus alforjas antes de soltarlo.

Los tres fugitivos se escondieron entre los matorrales y, cuando se acercó el molinero, salieron de un salto.

—¡Alto, amigo! —gritó Robin.

El molinero soltó el saco. —¿Quiénes son? —preguntó con una voz profunda.

—Somos tres hombres hambrientos —contestó Robin—. Hambrientos de oro. Danos tu oro, amigo, y te dejaremos ir.

—No tengo oro —dijo el molinero—. No tengo ni un comino en los bolsillos.

—Entonces te ayudaremos a llevar el saco —dijo Robin.

—Si me roban, Robin Hood vendrá a ayudarme.

—No me da miedo Robin Hood —respondió Robin—. Ahora, veamos qué hay en ese saco. Todo el mundo sabe que los molineros esconden ahí su oro.

—Está bien, ustedes ganan —dijo el molinero. Abrió el saco y metió las manos en la harina.

Los tres fugitivos se acercaron a ver qué sacaba. De pronto, el minero les lanzó un buen puñado de harina a la cara. Los tres retrocedieron con un gran picor en los ojos.

—¡Para que aprendan, delincuentes! —gritó el hombre y empezó a pegarles con un palo.

—Detente —rogó Robin Hood—. Yo soy Robin Hood.

—Robin Hood nunca robaría a un molinero honesto —dijo el hombre y siguió pegándole con furia.

Por suerte, Johnny y otros fugitivos se encontraban cerca en el bosque. Al oír los gritos de Robin Hood corrieron a ayudarlo. Johnny atrapó al molinero y le agarró por el cuello.

—¿Cómo te atreves a ponerle la mano encima a Robin Hood?

—¡Suéltalo! —gritó Robin. Después se dirigió al molinero—. Eres peligroso con ese palo, amigo. ¿Cómo te llamas?

—Soy Much, el hijo del molinero —respondió.

—Necesitamos a un hombre como tú en el bosque de Sherwood —dijo Robin—. ¿Quieres unirte a nuestro grupo?

En la cara del molinero apareció una gran sonrisa.

—Sí —dijo—. Moler maíz no es un trabajo que dé mucha gloria.

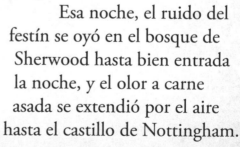

Esa noche, el ruido del festín se oyó en el bosque de Sherwood hasta bien entrada la noche, y el olor a carne asada se extendió por el aire hasta el castillo de Nottingham.

Robin necesita una bendición

Un día, Robin les dijo a sus hombres: —Tenemos que encontrar a un buen fraile que nos lea la Biblia y nos dé su bendición antes de hacer una redada.

—Entonces deberíamos hablar con el abad de la Abadía de las Fuentes —dijo Will Scarlet—. La gente dice que es un santo y seguro que nos apoyaría. Lo conocí una vez en una boda.

—Entonces tú, Will, Johnny y David de Doncaster vendrán conmigo —dijo Robin—. Iremos a visitar a ese abad.

Robin se puso su armadura, un casco con una pluma y unas elegantes botas de montar que le había quitado a un caballero. —Quiero impresionar al abad. Seguro que él usa ropa muy elegante y yo quiero lucir igual de bien.

Los cuatro salieron y se adentraron cada vez más en el bosque, hasta que llegaron a un río poco profundo que no tenía puente.

—No me dijiste que tenía que meterme en el agua —le dijo Robin a Will Scarlet—. Si lo hubiera sabido, no me habría puesto estas botas.

—Te las puedes quitar —dijo Will.

—Lo sé —contestó Robin—, pero no quiero que ustedes tres se rían de mí. ¿Por qué no se quedan aquí descansando? Yo los avisaré cuando haya cruzado el río.

Will y los demás se sentaron debajo de un árbol y Robin salió, con las botas en la mano.

Se burlan de Robin

Cuando Robin llegó al otro lado del río, oyó a alguien cantar. Se asomó entre unos helechos y vio a un fraile enorme. Tenía un pastel en una mano y una hogaza de pan en la otra y, a su lado, una jarra de leche.

Mientras Robin le observaba, el fraile empezó a contarse chistes poniendo distintas voces. Robin no pudo evitar reírse. El fraile le oyó y con una velocidad sorprendente, desenvainó su espada.

—¿Quién está espiando entre los helechos?

Robin dio un paso sonriendo y dijo: —Soy Robin Hood. Busco la Abadía de las Fuentes. ¿Sabe dónde está?

—Sí —contestó el fraile—. Está al otro lado del río que tengo detrás.

—Parece muy profundo y ya he cruzado un río —contestó Robin—. ¿Me podría llevar en brazos? No quiero mojar esta ropa elegante.

—¡Ja! —espetó el fraile—. ¿Es que crees que soy una mula?

—No —dijo Robin Hood—, pero ¿no te gustaría ser como San Cristóbal que cargó a Jesús hasta el otro lado del río?

—Estás abusando de mi religión —gruñó el fraile—, pero de acuerdo, súbete a mi espalda.

Cuando estaban en medio del río, el fraile tiró a Robin Hood al agua. Robin escupió agua e intentó ponerse de pie.

—¿Por qué me has engañado? —gruñó desenvainando su espada—. ¡Defiéndete!

126

—¡Te lo tienes merecido por intentar abusar de mí! —espetó el fraile. Sacó un mazo de debajo de su sotana y los dos empezaron a pelear en el agua. A pesar de su tamaño, el fraile se movía con agilidad y le dio una buena paliza a Robin.

—¿Te rindes? —preguntó por fin.

—Si me dejas tocar tres veces el cuerno —contestó Robin. Los amigos de Robin oyeron la llamada del cuerno y fueron corriendo a rescatarlo.

—Ya veo —dijo inmediatamente el fraile—. ¡Pides refuerzos! Ahora es mi turno de pedir ayuda—. Se llevó un silbato a los labios y sopló dos veces. De pronto se oyeron unos rugidos y aparecieron cuatro perros enormes que atacaron a los fugitivos.

—¡Detenlos! —gritó Robin—. Tú ganas—. El fraile volvió a soplar el silbato y los perros se sentaron inmediatamente.

—Mira, si es mi viejo amigo Tuck —dijo Will Scarlet.

—¿Te llamas Tuck? —se rió Robin Hood.

—Algunos me llaman así —dijo el fraile— y otros me llaman abad de la Abadía de las Fuentes porque vivo cerca de una cascada. Esa cascada, señor, es mi abadía.

—Ya te dije que le conocía —dijo Will.

—Ven a rezar por nosotros —le pidió Robin al fraile.

El fraile sonrió. —Con una condición. Que me dejes unirme a tu grupo de hombres. Como ves, sé pelear muy bien.

—Serás bienvenido —se rió Robin Hood—. Ahora mi grupo de fugitivos está completo.

La invitación de boda

Antes de que Robin Hood se convirtiera en fugitivo, se había comprometido con una bella doncella llamada Marian. Marian era la hija de un granjero al que llamaban Stout Edward. El granjero era rico y tenía tierras por todo Nottingham. Pero cuando Robin se convirtió en enemigo del alguacil, se llevaron a Marian para que no se pudiera casar con él.

A Robin Hood le llegaron las noticias de que Marian se iba a casar con Sir Stephen de Trent, un hombre mucho mayor que ella. Robin estaba convencido de que su padre estaba obligando a su hija a casarse con él para poder acceder al Rey por medio de Sir Stephen.

El día de la boda de Marian, por la mañana temprano, Robin Hood y sus hombres se reunieron en el exterior de la pequeña iglesia situada en las propiedades de Sir Stephen. Cerca de allí había praderas con vacas y ovejas y un río bordeado de árboles.

Los hombres se escondieron detrás de un muro bajo en la parte de atrás de la iglesia. Muchos iban vestidos de juglares y artistas y llevaban instrumentos musicales en sus sacos. Querían ver quién iba a la boda.

Llegó un viejo fraile e intentó abrir la puerta de la capilla con una llave enorme. El fraile Tuck se acercó y le dijo:
—¿Te puedo ayudar, hermano?

El viejo fraile sonrió agradecido. —Qué milagro que hayas pasado por aquí justo a tiempo, hermano.

El fraile Tuck consiguió abrir la puerta y los dos entraron.

Al poco tiempo, empezaron a llegar los invitados de la boda, casi todos a caballo. Les seguían unos hombres que llevaban una litera con un pasajero escondido tras las cortinas de seda. Las cortinas se abrieron y salió el obispo vestido con ropas lujosas y joyas. Le acompañaba un cura de la abadía local que Robin Hood reconoció; era un buen amigo del alguacil. Sir Stephen llegó a lomos de un caballo blanco.

Los invitados llenaron la capilla. Robin susurró a su hombres: —Ahora, amigos, hagan como si fueran juglares y artistas.

Los fugitivos entraron en la iglesia sonriendo y haciendo reverencias como hacen los artistas de la calle. El obispo les pidió que tocaran una canción mientras esperaban a la novia. Pero antes de que pudieran empezar, se oyó afuera un ruido de cascos de caballo. Un momento más tarde entró Stout Edward en la capilla con Marian del brazo.

Marian parecía muy preocupada y miraba a su alrededor como un ratoncito atrapado en un cuarto lleno de gatos. Sir Stephen se giró para recibirla en el altar, y el obispo se acercó con su libro de oraciones abierto.

—Queridos todos —empezó—, nos hemos reunido aquí para celebrar el santo matrimonio entre Marian y Sir Stephen...

—¿Ah, sí? —le interrumpió una voz. El obispo se giró y vio a un músico con un harpa que avanzaba hacia él.

Un invitado inesperado

—No creo que la novia esté celebrando nada. No veo que sonría —dijo el juglar—. A lo mejor este caballero no es su verdadero amor.

Sir Stephen se llevó la mano a la espada, pero como era el día de su boda, no la llevaba en el cincho.

Marian levantó la vista y en cuanto se dio cuenta de que el juglar era Robin, sonrió.

—Ah —dijo Robin—. La novia sonríe. Creo que por fin ha visto a su verdadero amor.

—¿Y quién se supone que es? —preguntó el obispo.

—Yo, por supuesto, Robin Hood —contestó Robin.

De pronto, los otros juglares se quitaron sus disfraces. Robin sopló su cuerno y aparecieron más hombres que rodearon a los que estaban en la capilla.

Robin le dijo a Stout Edward: —Yo me casaré hoy con Marian si todavía me quiere.

—¡Nunca dejé de quererte, Robin! —gritó Marian—. Me quiero casar contigo.

—Habrás encontrado a tu novia, granuja —retronó el obispo—, ¡pero me niego a bendecir este matrimonio!

—¡Pues lo haré yo! —gritó una voz desde el púlpito. Todo el mundo se giró y vio al fraile Tuck que bajaba por el pasillo.

Por fin Robin y Marian se casaron, en presencia de un obispo, un cura, un caballero, las damas... y los hombres de Robin.

El alguacil está preocupado

Unos meses después de que Robin se casara con Marian, el Rey Enrique se murió y su hijo Ricardo subió al trono. Ricardo comenzó un viaje por Inglaterra para conocer a sus hombres leales.

En Nottingham, fue el invitado del alguacil.

—He oído hablar de un famoso fugitivo —dijo el Rey Ricardo—. Se llama Robin Hood.

—¡Es un criminal muy peligroso, Su Majestad! —contestó el alguacil.

—Un tipo muy interesante —dijo el Rey—. No roba para hacerse rico, sino para ayudar a los pobres. Y no mata. He oído que celebra grandes festines en las profundidades del bosque de Sherwood. ¿Podrías organizar una reunión para conocerlo?

El alguacil nunca hubiera imaginado ni en sus peores pesadillas que el Rey quería conocer a un criminal como Robin Hood. Y realmente no quería arriesgarse a que Robin presumiera delante del Rey de todas las veces que había fracasado en sus intentos para atraparlo.

—Me han dicho que se ha muerto, Su Majestad —dijo—. Lo mataron anoche durante una emboscada.

Robin Hood no estaba muerto, por supuesto. Estaba muy vivo. "Pero no por mucho tiempo", pensó el alguacil. Tenía que deshacerse de ese criminal antes de que el Rey lo conociera. Y conocía a la única persona que podría matarlo: Sir Guy de Gisbourne, un caballero cruel que cometía los crímenes más horribles al precio adecuado.

Un asesino cruel

A la mañana siguiente, Robin y Johnny iban por un camino del bosque cuando vieron a un extraño hombre vestido con una túnica oscura y una capucha que le cubría la cara. Parecía estar buscando algo y miraba ansiosamente de un lado a otro a medida que avanzaba entre los árboles.

—¿Quién será ese? —preguntó Johnny.

—Déjamelo a mí —contestó Robin—. Tú sigue. Te alcanzaré cuando descubra qué anda buscando.

Johnny se alejó y Robin se acercó al hombre.

—¡Buenos días! —llamó.

El hombre se quitó la capucha y reveló una cara llena de cicatrices. —Aléjate de aquí, muchacho. Estoy buscando a Robin de Sherwood, no a un joven como tú vestido con esa ropa tan ridícula. ¿Conoces a ese fugitivo?

—Sí —contestó Robin—, pero, señor, usted es el ridículo. ¿No cree que Robin ya sabrá que ha venido a buscarle?

—Si lo sabe, ¡que venga y dé la cara! —dijo el desconocido—. Me llamo Guy de Gisbourne y he venido a hablar con él. He oído que es muy bueno con el arco y las flechas, pero que no se le da muy bien la espada.

Robin desenvainó su espada. —¿Sabe qué? Yo soy Robin Hood y quiero que sepa que soy tan bueno con la espada como con el arco.

—¡Ja! ¡Ya me imaginaba que eras tú! —exclamó Guy y atacó a Robin con su espada.

El sonido del acero retumbaba en el bosque mientras los hombres peleaban. Robin era más rápido que Guy, pero el caballero era más fuerte a pesar de su edad. En dos ocasiones, Robin sintió la punta de su espada en el cuello, pero logró apartarse a tiempo. Entonces, cuando pensaba que iba a ganar, se tropezó con una raíz y se cayó. Vio la espada de Guy que se acercaba a su cuello. Estiró la mano y agarró el filo con sus manos enguantadas. Lentamente, la separó de su cara. Después le pegó una patada al caballero en la pierna derecha y este se cayó encima de su propia espada.

Unos minutos más tarde se oyó una voz en el bosque:

—Alguacil, ¿estás ahí?

—Estamos aquí, cerca del roble que está en el claro —contestó una voz.

Tal y como Robin se había imaginado, el alguacil de Nottingham había estado esperando con sus hombres. Habían atrapado a Johnny y lo habían amarrado a un árbol.

El alguacil vio una figura con una túnica negra que aparecía en el claro. —¿Lo conseguiste, Guy? —preguntó.

El hombre encapuchado levantó su espada manchada de sangre. —Te has ganado tu sueldo —sonrió el alguacil—. Hoy tenemos mucho que celebrar. Mira, aquí tenemos a otro de esos granujas. Lo llevaremos al castillo de Nottingham y lo colgaremos.

—Te costó un saco de oro deshacerte de Robin Hood —contestó el hombre—. No te costará nada librarte de este viejo granuja.

El perdón real

Robin saltó como si fuera a clavarle la espada a Johnny. Pero en lugar de hacerlo, cortó las sogas que lo mantenían amarrado al árbol. Después se quitó la capucha. El hombre de la túnica no era Guy. Era Robin Hood, y le lanzó su arco y una flecha a Johnny.

El alguacil rugió como un león herido. Pero una flecha salió disparada del arco de Johnny y un momento más tarde, el alguacil yacía en el suelo del bosque. ¡Estaba muerto!

Esa noche celebraron un gran festín en el bosque de Sherwood. El invitado de honor era el Rey Ricardo. Los espías que tenía Robin en el castillo de Nottingham le habían dicho que el Rey quería conocerlo, y allí estaba, celebrando el festín bajo el gran roble.

—¿Es este uno de mis venados? —se rió el Rey—. Es delicioso. Robin, eres un buen hombre y el héroe de la gente. Si prometes no volver a robar mis animales, te ofreceré el perdón real.

—Su Majestad, el alguacil de Nottingham me obligó a llevar esta vida —contestó Robin—. Ahora que ya no está, abandonaré el bosque, pero continuaré apoyando a los pobres siempre que pueda.

—Entonces te concedo el perdón real —dijo el Rey levantando su copa de vino—. Por Robin Hood. Por la bella Marian. Y por todos los hombres de Robin Hood...

LOS VIAJES DE GULLIVER

Me llamo Lemuel Gulliver. Soy el médico de un barco, lo que quiere decir que curo a los marineros que caen enfermos durante la travesía. Es muy emocionante viajar por todo el mundo; nunca sabes lo que va a pasar a continuación.

Por ejemplo, en el verano de 1699, mi barco estaba en algún lugar del hemisferio sur cuando nos vimos envueltos en una horrible tempestad.

El viento empujó el barco contra una roca grande, y el casco se hizo pedazos. Recuerdo que salí disparado al agua. Las olas me movían como si fuera un pedazo de corcho.

Después de muchas horas en el agua, noté que mis pies tocaban la arena gradualmente. Me acercaba a tierra firme. Lo último que recuerdo es que salí del agua arrastrándome y llegué a una playa. Después perdí el conocimiento.

Me desperté con el sol en la cara. Intenté protegerme los ojos con la mano, pero no pude. Tenía todo el cuerpo, hasta el cabello, clavado al suelo. ¡Era como estar atrapado en una telaraña!

De pronto noté algo que trepaba por mi pierna. "Será un ratón o una araña", pensé. La criatura avanzó por mi estómago y por fin la pude ver.

Era un hombre, no más grande que un soldadito de juguete. ¡Y estaba armado! Llevaba un arco y me apuntaba a la cara con una flecha.

Gente diminuta

Durante un momento pensé que estaba soñando. Entonces cientos de criaturas diminutas se subieron encima de mí. Rugí con fuerza y salieron rodando, pero pronto regresaron. Ahora estaba asustado.

Moví la mano hasta que conseguí separarla del suelo. Las pequeñas criaturas me habían amarrado con sogas y palos clavados en el suelo. Agité la cabeza salvajemente y noté que mi cabello se soltaba. Por fin podía mirar alrededor.

Había miles de personas diminutas. Las aparté con la mano, pero una de ellas gritó: —¡*Tolgo Phonac!*

Entonces empezaron a dispararme cientos de flechas minúsculas, afiladas como agujas. Grité de dolor.

—¡*Tolgo Phonac!* —ordenó de nuevo, y me clavaron más flechas en la cara y en las manos.

No iba a ser tan fácil deshacerme de esos seres diminutos. Bajé la mano y me quedé inmóvil, pensando. Las personitas que me rodeaban empezaron a susurrar. Bueno, a mí me parecían susurros, pero en realidad estaban hablando muy fuerte. Por fin uno de ellos se subió de nuevo a mi pecho.

No estaba armado y me hizo una reverencia con mucha educación. Sonreí para que supiera que no pensaba lastimarlo. El hombrecito, que imaginé que era una especie de oficial, dio una orden. Noté que me quitaban los palos que sujetaban las sogas amaradas a mi cabello para que pudiera mover la cabeza.

Levanté la mano lentamente y, ahora que la podía mover, me señalé la boca. —Comida —dije.

El oficial asintió. Sentí que apoyaban en mi hombro unas escaleras y unos hombres se subieron a mi pecho. Llevaban canastos enormes comparados con su tamaño y vertieron algo en mi barbilla. Lo tomé cuidadosamente con los dedos índice y pulgar. Eran trocitos de carne asada que me tragué de un bocado.

Volví a señalarme los labios. —Agua. Sed —dije.

El oficial sonrió y dio una nueva orden. Oí que acercaban algo rodando. ¡Era un barril!

Puse la mano en el suelo para agarrarlo y me lo llevé a mis labios cortados por el sol. Tenía sabor a néctar.

La multitud vitoreó salvajemente. La cabeza me empezó a dar vueltas y en ese momento, me di cuenta de que en la bebida habían puesto una poción para dormir...

Mientras dormía, la gente diminuta me arrastró con sogas y ganchos hasta una carreta. Me amarraron muy bien y me pusieron el pelo debajo de la cabeza para no arrastrarlo por el suelo. Unos mil quinientos caballos diminutos tiraban de la carreta y me llevaron hasta el interior de la isla.

El emperador

No tenía ni idea de lo que estaba pasando, por supuesto, pero nos dirigíamos a la ciudad principal. Viajamos durante todo el día y parte de la noche, seguidos de una gran multitud.

Al atardecer, la carreta se detuvo delante de un templo abandonado que se encontraba bastante cerca de las murallas de la ciudad. Era lo suficientemente grande como para que me pudiera meter dentro y allí era donde iba a vivir.

Las personas diminutas me ataron una cadena gruesa de metal al tobillo y amarraron el otro extremo a una columna del templo.

Me desperté un poco más tarde con el sonido de unas trompetas. Conseguí girar un poco la cabeza y vi una torre de madera cerca de mi cara. Encima de la torre había un hombre.

Parecía un emperador porque llevaba una corona en la cabeza. El emperador me sonrió e hizo una reverencia, igual que lo había hecho el oficial el día anterior.

De pronto, la multitud se abalanzó sobre mí y noté que la gente se subía por todo mi cuerpo. Gruñí furiosamente y me retorcí para quitármelos de encima.

El emperador de la torre gritó. Todos retrocedieron y los soldados se adelantaron con sus espadas en alto. Un momento más tarde, cortaron las sogas que me tenían prisionero. Estiré los brazos.

Bienvenido a Liliput

Un grito de sorpresa se oyó entre la multitud cuando se dieron cuenta de lo grande que era. Se oyeron unos alaridos. Algunos se desmayaron. Yo sonreí al emperador y le hice una reverencia para que supiera lo agradecido que estaba por haberme soltado las sogas, a pesar de que seguía encadenado a la columna.

El emperador bajó de su torre de madera y avanzó hacia mí en su caballo.

—Liliput —dijo, moviendo las manos hacia el paisaje que nos rodeaba.

—Liliput, Su Majestad —repetí para mostrar que había entendido que ese era el nombre del país donde estaba.

El emperador dio unas palmadas y varios cocineros se acercaron empujando unos calderos humeantes con ruedas. Comí una vez más, pollo, carne y pastel. También me trajeron barriles de agua.

Mientras comía, el emperador impartió un gran discurso. Yo no entendía ni una palabra, pero vi que movía mucho las manos y me imaginé lo que estaba diciendo. Parecía que me daba la bienvenida a su país, siempre y cuando no causara problemas. Cuando terminó, volvieron a sonar las trompetas y la corte le siguió hasta la ciudad.

En cuanto cerraron las puertas de la ciudad, la multitud empezó a acercarse a mí. Casi todos eran amables, sobre todo los viejos y los niños pequeños. Pero algunos jóvenes empezaron a dispararme flechas y casi me clavan una en el ojo derecho.

Inmediatamente vinieron los guardias y arrestaron a seis de los jóvenes. Los guardias les amarraron las manos detrás de la espalda y los empujaron hacia mí.

Yo los agarré, de uno en uno, y los metí en el bolsillo de mi chaqueta. Tomé al que casi me había dejado ciego y lo sujeté en alto, delante de la multitud. Después saqué mi navaja del bolsillo y se la puse cerca. El joven la miró muerto de miedo. Entonces corté las sogas que tenía en las muñecas y lo volví a poner en el suelo.

La gente vitoreó y, cuando repetí la misma operación con el resto, sabía que había dado el primer paso hacia mi libertad.

Durante las siguientes semanas, me mantuvieron encadenado a la columna. Los cocineros seguían trayendo comida y por la noche, me arrastraba hasta el templo para dormir.

Como se me dan muy bien los idiomas, pronto empecé a entender algunas palabras que decían los cocineros y los guardias. No tardé mucho en poder mantener una pequeña conversación. Descubrí que yo le caía muy bien al emperador y que él pensaba que yo podría ayudarlo a conocer el mundo más allá de la costa de Liliput.

El anhelo de la libertad

Sin embargo, los guardias me aconsejaban que tuviera mucho cuidado porque casi todos los consejeros del emperador querían deshacerse de mí. Flimnap, el tesorero, decía que mantenerme resultaba demasiado caro. Y a Skyresh Bolgolam, el almirante, le preocupaba que yo revolucionara a la gente.

Aun así, el emperador me visitaba a diario. Se sentaba en su trono y escuchaba las historias de mis viajes. Cuando pensé que nos habíamos hecho amigos le pedí que me quitara la cadena del tobillo.

El emperador sonrió y dijo: —Algún día te pondré en libertad, pero antes debes prometer que estarás en paz conmigo y con mi gente.

—Lo prometo —dije inmediatamente.

—También debes dejar que te registren —añadió el emperador—. La costumbre local es que cualquier cosa que traigas aquí es propiedad de la corona.

—Eso tampoco será un problema —dije.

Dos oficiales me registraron y me quitaron el pañuelo, la navaja, el peine, la espada, las pistolas, una bolsa llena de oro, una brújula y un montón de cartas amarradas con una cuerda.

Metieron mis armas y la bolsa con el oro en una carreta y se las llevaron, pero el emperador me permitió quedarme con el peine, el pañuelo, la brújula y la navaja.

También me quedé con unos lentes para leer que llevaba en un bolsillo secreto debajo del cinturón. Los oficiales no los habían visto y no dijeron nada. Me alegró mucho porque esos lentes me iban a resultar muy útiles.

Poco a poco empecé a ganarme la confianza de la gente de Liliput. Todos los días, me acostaba bajo el sol y dejaba que las parejas jóvenes recorrieran mi espalda como si estuvieran paseando por el campo. Los niños se escondían entre mis largos cabellos.

El emperador seguía visitándome diariamente. Cada vez venía con un caballo diferente, y eso me dio una idea. Recogí unas ramas cerca del templo y construí un pequeño escenario de madera. Usé mi pañuelo para hacer el piso del escenario y lo tensé como si fuera la piel de un tambor. Enseñé a algunos guardias a hacer trucos con sus caballos.

Un día, cuando me visitó el emperador, le ofrecimos un gran espectáculo. Los hombres representaron batallas a caballo y pretendían que se atacaban y se retiraban con elegancia. Disparaban flechas sin punta y escenificaban peleas emocionantes con sus espadas.

Cuando terminó el espectáculo, el emperador me dijo: —Después de mucha deliberación y consideración, nuestro parlamento ha decidido darte la libertad.

Las reglas

—Antes debes aceptar unas reglas. Si juras que siempre las respetarás, serás libre —dijo el emperador. Skyresh Bolgolam se acercó con un pergamino y me leyó las reglas.

Regla 1: Hombre-Montaña (que era como me llamaban) *no puede salir de nuestro país sin permiso.*
Regla 2: Hombre-Montaña no debe entrar en la capital a no ser que se lo ordene el emperador.
Regla 3: Hombre-Montaña no debe acostarse en los campos donde pueda aplastar las cosechas.
Regla 4: Hombre-Montaña debe tener mucho cuidado de no pisar a la gente, los caballos o los carruajes.
Regla 5: Hombre-Montaña debe ayudar a Liliput en su guerra contra los malvados habitantes de Blefuscu.

Para hacer el juramento tenía que sujetarme el pie derecho con la mano izquierda. Después me dijeron que tenía que poner el dedo corazón de la mano derecha encima de la cabeza y señalarme la oreja derecha con el dedo pulgar.

La gente vitoreó, y el herrero del emperador cortó los cerrojos de mi tobillo. Por fin era libre. Esa noche me metí a rastras en el templo y dormí feliz.

Acostado en medio de la oscuridad, me pregunté cómo sería el país de Blefuscu.

¿Qué extremo del huevo?

Pasaron los meses y me acostumbré a vivir en Liliput. Entonces, un día, vino a verme el Secretario Principal de Asuntos Privados. Se llamaba Reldresal.

Le invité a sentarse en una pequeña butaca que tenía cerca de una mesa que me habían dado, pero él insistió en que lo levantara y me lo acercara al oído derecho. Tenía que decirme un secreto y no quería que nadie lo oyera.

Ese día, Reldresal me contó muchas cosas. Liliput llevaba mucho tiempo en guerra con el país vecino de Blefuscu.

—¿Cómo empezó la guerra? —pregunté.

—Hace mucho tiempo, los dos países eran grandes aliados —dijo Reldresal—. Al fin y al cabo, Blefuscu está muy cerca de Liliput y solo nos separa un estrecho canal.

»Durante esa época, los habitantes de Liliput y de Blefuscu desayunaban huevos cocidos y para abrir la cáscara del huevo, daban golpecitos con una cucharita en el extremo ancho del huevo. Entonces, un día, el abuelo del actual emperador decidió que los huevos cocidos sabían mejor si la cáscara se abría por el extremo más fino. Decidió pasar una ley para obligar a todo el mundo a hacerlo así a partir de ese momento.

»Los habitantes de Liliput obedecieron, aunque pensaban que las escrituras decían que siempre había que abrir los huevos por el extremo ancho. Sin embargo, los gobernadores de Blefuscu se ofendieron mucho.

»"Los habitantes de nuestro mundo llevan miles de lunas abriendo los huevos por el extremo ancho", protestaron. "¿Por qué tenían que cambiar ahora por los caprichos de un emperador?"—continuó Reldresal.

»En realidad, lo que dicen las escrituras es que cada uno puede romper la cáscara del huevo por el extremo que quiera. El problema es que nadie se molesta en leerlas. Los escribanos de nuestro emperador escribieron docenas de libros para explicar sus razones por las que había que abrir los huevos por el extremo fino. Y los profesores de Blefuscu escribieron cientos de libros para demostrar que había que abrir los huevos por el extremo ancho.

»Esto dio lugar a una guerra que me temo que Liliput perderá. Verás, algunos nobles de Liliput tienen parientes en Blefuscu que son sus espías. Temo por nuestro futuro, Hombre-Montaña. Blefuscu es un país más pequeño, pero tiene un ejército más grande. También tienen cañones. Sus barcos están listos para zarpar rumbo a Liliput en estos mismos momentos. Por eso Su Majestad me pidió que viniera a hablar contigo. A lo mejor puedes ayudarnos.

Le dije a Reldresal que le comunicara al emperador que no pensaba involucrarme en esa discusión, pero que haría todo lo posible para protegerlo de sus enemigos.

El héroe de Liliput

A la mañana siguiente, fui hasta la costa norte de Liliput y me escondí detrás de una colina para observar Blefuscu al otro lado del estrecho. Desde allí podía ver bien el puerto y unos cincuenta barcos de guerra anclados en la costa.

También había muchos barcos pequeños, la mayoría barcas de pesca y transbordadores. El puerto estaba lleno de gente y me imaginé que estaban preparándose para enviar la flota y atacar Liliput al día siguiente.

Corrí de vuelta a la ciudad y pedí a los fabricantes de amarras que hicieran cincuenta sogas. Les pedí a los herreros que forjaran cincuenta ganchos grandes y amarré cada uno al extremo de una soga. Con todo esto, regresé a la costa norte y esperé a que anocheciera.

Era una noche sin luna. Me quité los zapatos, me metí en el agua y nadé por el estrecho con las sogas y los ganchos. Cuando salí del agua y pisé el puerto, la gente gritó de miedo. Los que estaban en los barcos se lanzaron al agua. Los que estaban en tierra entraron en sus casas gritando despavoridos.

Enganché un gancho a la proa de cada uno de los barcos de guerra. Después hice un nudo con las cincuenta sogas, me colgué los barcos al hombro y me metí de nuevo en el agua.

Para entonces, los habitantes de Blefuscu habían recuperado el valor y empezaron a atacarme. Me clavaron miles de flechas en la parte de atrás del cuello. No podía arrastrar los barcos porque seguían anclados. Tenía que cortar las cadenas de sus anclas con mi navaja.

Rápidamente, saqué mis lentes para leer del bolsillo secreto debajo del cinturón y me los puse. Mientras cortaba las cadenas, sentí docenas de flechas que rebotaban en mis lentes que me protegían los ojos.

Cuando por fin conseguí alejarme del puerto, aminoré la marcha. En la costa de Liliput, al otro lado del estrecho, vi unas luces. El emperador y casi todos los habitantes de su país habían salido a recibirme. Como estaba muy oscuro, solo podían ver los barcos que yo arrastraba, pero a mí no me veían.

—¡Son los de Blefuscu! —oí a alguien que gritaba—. ¡Estamos perdidos!

—¡No, no corren ningún peligro! —contesté. En la costa de Liliput se oyeron gritos de alegría que se extendieron por el aire hasta Blefuscu.

Dijeron que yo era un héroe. El emperador me nombró caballero ahí mismo, en la playa.

—De ahora en adelante —declaró—, serás Sir Quinbus Flestrin, caballero de Liliput.

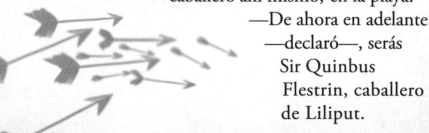

El pacificador

Al día siguiente, celebraron la victoria sobre Blefuscu con un gran banquete.

—Estamos orgullosos de ti —dijo el emperador mientras comíamos—. Con tu ayuda, Sir Quinbus, destruiremos a los habitantes de Blefuscu de una vez por todas. Los convertiremos en nuestros esclavos.

—Prometí que iba a ayudarlo a proteger su país del peligro —contesté—, pero los habitantes de Blefuscu son libres y yo no pienso ser la causa de que se conviertan en esclavos de otro país. Por lo que he oído, antes de que empezara esta guerra, la gente de Liliput solía ir a Blefuscu, y creo que los nobles de Blefuscu solían visitar este país para aprender de sus maestros y admirar la gloria de su corte. De hecho, siempre hubo mucho comercio entre los dos países. Un país no puede vivir sin el otro. Si Su Majestad quiere, puedo ser su embajador. Estoy convencido de que si visito Befluscu y hablo con el emperador, podría conseguir que haya paz.

Al emperador le gustó mi sugerencia.

—Por supuesto, debes ir a Blefuscu en nuestro nombre —dijo.

Mientras decía eso, noté que Skyresh Bolgolam, el almirante, miraba al tesorero Flimnap con el ceño fruncido. Tenía que haberme imaginado que esos dos me causarían problemas, pero ese día, estaba tan orgulloso de mis logros que no les presté mucha atención.

El incendio

Durante las dos semanas siguientes, me dediqué a construir una casa en las afueras de la ciudad. Era una cabaña de madera, con el techo lo suficientemente alto como para ponerme de pie sin darme en la cabeza. También construí muebles y compré mesas y sillas pequeñitas a los carpinteros locales para poder recibir a mis diminutas visitas.

Unas semanas más tarde, sucedió algo que les daría más munición a Skyresh y Flimnap para usarla contra mí. Estaba cómodamente dormido en mi nueva cama cuando oí unos gritos. Al abrir la ventana vi que se había aglomerado una gran multitud delante de mi casa.

—¡El palacio real se está quemando! —gritó alguien—. ¿Podrías ayudarnos?

Mientras avanzaba por las calles en dirección al palacio, con mucho cuidado de no pisar a nadie, vi una luz roja que brillaba hasta el cielo. Los aposentos de la emperatriz estaban en llamas y salía humo por las ventanas.

Los guardias del palacio intentaban inútilmente apagar el incendio con calderos de agua. Por suerte, yo había bebido mucha agua esa tarde. Así que alivié mis necesidades encima del fuego y lo apagué en menos de tres minutos.

La gente dio gritos de alegría, pero yo había infringido una ley sin darme cuenta. Se consideraba un crimen muy grave que un hombre hiciera sus necesidades en territorio real.

El plan

Poco tiempo después, llegó un visitante a mi casa con un carruaje que tenía las cortinas cerradas. El cochero me hizo un gesto para que levantara el carruaje y lo pusiera encima de la mesa del comedor.

—Mi patrón quiere que cierres las puertas y las ventanas —dijo el cochero—. Si los espías del emperador nos vieran aquí correríamos un grave peligro.

Cuando se abrió la puerta del carruaje, vi que mi invitado no era ni más ni menos que Reldresal.

—He venido a avisarte —me dijo—. Corres un gran peligro. Flimnap se ha dedicado a propagar el rumor de que eres un espía. Y Skyresh Bolgolam ha convencido al emperador de que trabajas para el emperador de Blefuscu. Además, a su alteza real le ofendió mucho tu manera de apagar el incendio.

—¡Pero yo solo quería salvar a la gente y el palacio! —grité.

—Los políticos son gente muy rara —dijo Redresal—. Han ordenado que te arresten.

—¿Cuál será mi castigo si me declaran culpable?

—La pena por hacer tus necesidades en territorio real es de un año de prisión. Pero la mayor ofensa en Liliput es espiar y ayudar al enemigo —contestó Reldresal—. Te van a declarar culpable porque Flimnap piensa pagar a criminales para que mientan y te acusen.

—Por suerte, pude convencer a Su Majestad de que la sentencia de muerte era un castigo demasiado duro para alguien que acaba de salvar a Liliput de una invasión. Le dije que el pueblo no estaría nada contento porque tú eres nuestro héroe —añadió.

—¿Y qué sentencia sugeriste? —pregunté.

—Que te dispararan flechas en los ojos hasta dejarte ciego. Fue el único castigo espantoso que se me ocurrió en ese momento. Si no hubiera sugerido algo horrible, Flimnap y Bolgolam se habrían salido con la suya.

»Y ahora resulta que al emperador le gustó mi sugerencia. Por supuesto, nadie fuera del círculo íntimo del emperador sabe que te van a juzgar por traición.

»Eres muy popular en el pueblo de Liliput. Te arrestarán y te juzgarán dentro de una semana. Todo sucederá muy rápido. ¡Te declararán culpable antes de que nadie pueda defenderte! Tienes que escaparte a Blefuscu. Es la única solución...

»He enviado a alguien para que avise al emperador de Blefuscu. Los habitantes de Blefuscu saben que tú te opusiste a que el emperador de Liliput invadiera su isla. Te recibirán bien. Debes partir inmediatamente.

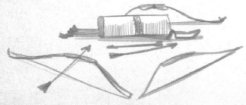

Fuga de Liliput

Reldresal tenía razón. Tenía que huir antes de que fuera demasiado tarde. Pero debía tener mucho cuidado. No podía dejar que Flimnap y Bolgolam sospecharan nada. Así que le escribí una carta al emperador.

Su Majestad:
De acuerdo con nuestra conversación, he decidido partir inmediatamente a Blefuscu. Calculo que las negociaciones me llevarán al menos una semana, así que no se preocupe si no me ve hasta entonces.
Su humilde servidor,
Quinbus Flestrin [Sir]

Puse la carta a la vista para que la encontrara el primer noble que me visitara por la mañana. Después empaqué algunas pertenencias y salí protegido por la oscuridad.

Por suerte, había luna llena. Cuando llegué al puerto, metí mis pertenencias, mis botas y mi chaqueta en un barco grande. Halé del barco y me metí en el agua.

Esperé en el estrecho hasta que salió el sol ya que no quería asustar a los habitantes de Blefuscu. Pero cuando llegué al puerto, me esperaba una gran multitud.

Cuando emperador de Blefuscu se enteró de que había llegado, envío a dos guías para que me mostraran el camino al palacio. Así fue como esa noche cené con el emperador de Blefuscu, que me pareció un hombre amable, educado y muy sabio.

El barco

Pensaba quedarme en Blefuscu durante un tiempo, pero a los tres días de llegar, sucedió un verdadero milagro.

Mientras caminaba por la costa norte de la isla, vi algo en el mar. Parecía un barco volcado en medio del agua. Me dio la impresión de que era una pequeña barca de remos y que venía de mi mundo. Estaba hecha para alguien de mi tamaño. A lo mejor había llegado arrastrada por los mismos vientos que me llevaron a mí a Liliput hacía más de un año.

Corrí de vuelta hasta Blefuscu y le rogué al emperador que me dejara usar los veinte barcos más grandes de su flota. Él asintió y sus barcos de guerra zarparon inmediatamente de la costa con unos tres mil marineros a bordo.

Desde la costa, vi que la corriente había acercado la barca y comprobé que era realmente de mi mundo. Cuando se acercaron los barcos de guerra, le pedí al capitán de cada barco que amarrara una soga a su embarcación. Entonces agarré los extremos de todas las sogas y, con mucho cuidado, nadé hasta la barca. No tardé mucho en meter las veinte sogas por un agujero grande que tenía la barca en la parte delantera del casco.

Di una señal y los tres mil marineros empezaron a remar hacia la costa, arrastrando mi barca.

Por la noche, llegaron a aguas poco profundas y pude arrastrar la barca hasta la tierra con mis propias manos. Por fin tenía algo para escaparme y estaba decidido a irme cuanto antes.

Tardé pocos días en arreglar la barca usando madera de árboles caídos. Pero antes de zarpar, el emperador me mandó llamar. Un mensajero de Liliput le había llevado una carta al emperador de Blefuscu escrita por Skyresh Bolgolam y firmada con tinta roja por el mismísimo emperador de Liliput. En la carta le explicaba que yo debía volver inmediatamente a Liliput para que me juzgaran por mis horribles crímenes.

El emperador de Liliput urgía al emperador de Blefuscu que me enviara de vuelta cuanto antes. Le prometió que, a cambio de eso, los habitantes de Liliput empezarían a abrir las cáscaras de los huevos cocidos por el mismo lado que los de Blefuscu y que una vez más reinaría la paz entre ambos países.

—También escribió aquí —me dijo el emperador— que no te diga que te van a juzgar. Los muy tontos no saben que tú ya conoces su horrible plan. A ellos les preocupa que te encuentres demasiado bien aquí y decidas quedarte indefinidamente.

Adiós a la gente diminuta

Levantó la vista de la carta. —Has sido muy amable con nosotros, a pesar de que aquella noche robaras nuestra flota. Nunca olvidaremos que te negaste a que nos conquistaran. Si te quedas aquí, no permitiremos que sufras ningún daño. Todo lo que tienes que hacer es ayudarnos en nuestra guerra con Liliput.

"Eso sería como saltar de la sartén al fuego", pensé. La guerra es la guerra, se mire como se mire y yo no pensaba involucrarme.

—Su Majestad —dije—, hace unos días encontré la manera de volver a mi mundo. Aquí yo nunca sería completamente feliz, ya que cada uno pertenece a su propia gente. Además, si me quedara aquí, les estaría dando otro motivo para continuar las disputas entre los dos países. Le ruego que me deje ir.

—Puede que tengas razón —contestó el emperador—. Si te vas esta noche, puedo escribir al emperador de Liliput y decirle que te has escapado. Le diré que no te lo impedimos porque nos dimos cuenta de que eras tan peligroso para nosotros como para ellos.

—Es muy amable de su parte —contesté—. Como la gente de Liliput piensa que me caí de la luna, a lo mejor les puede decir que volví al cielo.

A la mañana siguiente, cuando regresé a mi pequeña barca, los habitantes de Blefuscu se habían reunido en la costa para despedirse. El emperador llegó en su carruaje dorado y me dio dos bolsas llenas de oro.

Yo había almacenado agua y comida abundante para el largo viaje ya que no sabía cuánto tiempo tardaría en encontrar mi civilización. Pero era un riesgo que debía tomar.

En la barca también metí seis vacas, un toro y dos ovejas diminutas. Me hubiera gustado llevarme algunas personas conmigo para que me ayudaran a demostrar a mis amigos en mi mundo que realmente había vivido esa aventura fantástica.

Pero sabía que esas pobres personas se sentirían tan perdidas en mi mundo como yo me había sentido en el suyo. Así que me despedí de todos y empecé a remar mar adentro, con un par de remos que había tallado del tronco de un árbol.

Todavía tenía mi brújula, pero debo confesar que no me resultó muy útil. No tenía ni idea de dónde estaba ni adónde debía dirigirme. Solo sabía que mi barco se había hundido no muy lejos de la Tierra de Van Dieman en el hemisferio sur.

¡Pronto perdí Blefuscu de vista! Remé durante días y consumí con precaución el agua y la comida. Al final perdí la cuenta de los días que llevaba en el mar y de cuánta comida me quedaba.

Rescatado por fin

A medida que pasaban los días y las noches, mi mente empezó a imaginar todo tipo de cosas extrañas en alta mar: barcos fantasma, piratas y pájaros gigantes que sobrevolaban sobre mí. El sol era insoportable y tuve que meter a mis pequeños animales en el bolsillo de mi chaqueta para protegerlos del calor abrasador.

Entonces, un día al amanecer, divisé un barco. ¡Un barco de verdad! Cuando se acercó, vi que tenía la bandera británica. El marinero que estaba en la cofa me divisó y gritó:

—¡Hombre a la vista!

Por fin me rescataron. Enviaron un bote a buscarme con el médico del barco por si necesitaba ayuda.

—¿De dónde vienes? —me preguntó el capitán una vez que me llevaron a su barco.

—Antes era el médico del *Antelope* —dije—, una embarcación que zarpó en 1699 de Plymouth rumbo a la Tierra de Van Dieman. Pero durante este último año he estado viviendo en un lugar fantástico con personas diminutas que no miden más de seis pulgadas de alto. Se llama...

Se oyeron carcajadas por todo el barco. —Pobre hombre, ¡el sol le ha hecho perder la cabeza! —dijo alguien.

—Sí —añadió otro—. Eso es lo te pasa cuando no comes ni bebes durante mucho tiempo. Te vuelves loco.

Pero no estaba loco. No había perdido la cabeza. Metí las manos en el bolsillo y sentí cómo se movían mis animales diminutos. Allí, mis pequeñas mascotas estarían a salvo. Yo sabía perfectamente que mis aventuras en Liliput habían sucedido de verdad...

Biografías de los autores

LOS TRES MOSQUETEROS

Alexandre Dumas nació el 24 de julio de 1802 en Picardy, Francia. Cuando murió su padre, su madre no podía pagarle una buena educación, pero al joven Alexandre le apasionaba leer. Las aventuras fantásticas de Alexandre se inspiraron en las historias que le habían contado de lo valiente que había sido su padre durante su servicio en el ejército de Napoleón. De adulto, Alexandre escribió artículos para revistas, obras de teatro y novelas que tuvieron mucho éxito. Continuó escribiendo hasta su muerte en 1870.

PINOCHO

El verdadero nombre de Carlo Collodi era Carlo Lorenzini. Nació en 1826 en Florencia, Italia, y era el mayor de diez hermanos. Trabajó de librero y fue soldado antes de publicar su propio periódico. En 1875, empezó a escribir cuentos para niños, y en 1881, una revista semanal publicó el primer capítulo de *Pinocho*. Fue un éxito inmediato, aunque a la gente le preocupaba que el travieso muñeco fuera un mal ejemplo para los niños. Carlo murió en 1890, sin saber lo popular que había llegado a ser *Pinocho*. Nunca se casó ni tuvo hijos, pero su muñeco adorable y travieso todavía sigue vivo.

ROBIN HOOD

La leyenda de Robin Hood no la escribió un solo autor.
Durante la Edad Media se compusieron muchas baladas sobre
él. Se conocen muchas versiones de las aventuras del fugitivo
que defendió a los pobres de los crueles patrones durante
los siglos XII y XIII. Diversos autores han recontado las
aventuras, y, hasta el día de hoy, Robin Hood sigue inspirando
a escritores y cineastas. La versión de este libro está basada
en una de esas baladas medievales y en la novela popular de
Howard Pyle, *Las increíbles aventuras de Robin Hood,* publicada
en 1883.

LOS VIAJES DE GULLIVER

Jonathan Swift nació en Dublín, Irlanda, en 1667.
Estudió en la Trinity College de Dublín y después sirvió en la
corte del Rey Guillermo III de Londres, Inglaterra. Regresó a
Irlanda y fue el decano de la catedral San Patricio en Dublín.
Escribió mucho, pero se le recuerda sobre todo por su libro
Los viajes de Gulliver, publicado en 1726. Con esta historia,
Swift quería burlarse de la gente de su época y que la gente se
diera cuenta de lo absurdas que eran sus discusiones. Murió
en Dublín a los 78 años de edad. Le preocupaba mucho la
libertad y la justicia para todos y donó gran parte de su dinero
a la caridad.